鄭樑生著

文史哲學集成

中日關係史研究論集(六)

文史哲出版社印行

國立中央圖書館出版品預行編目資料

中日關係史研究論集．六／鄭樑生著．-- 初版
．-- 臺北市：文史哲，民85
面；　公分．--（文史哲學集成；359）
ISBN 957-547-999-8（平裝）

1．中國－文化關係－日本

630　　　　85001197

文史哲學集成 ㊿⑨

中日關係史研究論集㈥

著者：鄭樑生
出版者：文史哲出版社
登記證字號：行政院新聞局局版臺業字五三三七號
發行人：彭正雄
發行所：文史哲出版社
印刷者：文史哲出版社
台北市羅斯福路一段七十二巷四號
郵撥〇五一二八八一二彭正雄帳戶
電話：三五一一〇二八

實價新台幣三四〇元

中華民國八十五年二月初版

ISBN 957-547-999-8

中日關係史研究論集(六)目次

序……………………………………一
一、日本五山禪僧之《論語》研究及其發展……………………一
二、日本五山禪僧之《孟子》研究……………………二九
三、日僧中巖圓月有關政治的言論……………………六三
四、日僧虎關師鍊的華學研究……………………九三
五、日僧義堂周信的儒學研究……………………一四九
六、《滄浪詩話》與《潛溪詩眼》……………………一八五
七、《水滸傳》裏的兩個宋江……………………二〇五

序

本論文集乃裒集個人對於華學東傳日本以後，在該國發展的情形所爲探討之論文五篇，及翻譯日本學者有關中國文學之論著兩篇而成，前五篇和筆者已出版之幾本論文集一樣，均以日本五山禪僧爲中心，來考察他們所受中國文化之影響這一層面來立論，但都不逸出元明時代中日關係史之範疇。第六篇譯自刊登於《東方學報》（京都）第四十四冊，荒井健教授有關中國詩評方面的論著，末篇則係譯自宮崎市定博士著，東京中央公論社出版之《水滸傳》的部分章節而成篇。此兩篇雖都係譯作，然其內容俱爲探討中國文學問題，且對中日兩國此一領域之學術研究造成相當之影響，故特附於此。

首篇爲〈日本五山禪僧之《論語》研究及其發展〉作一概觀，敍述自從《論語》於三世紀八十年代，經由百濟官方東傳日本以後，即受彼邦人士之重視而加以研究，並將它列爲大學寮、國學之學生所必須修習的課程之一，一般人士也將該書所記內容奉爲待人處世之圭臬。日本古代的儒學研究雖由其王官貴族所主宰，惟至中世，其領導地位卻爲五山禪林所取代。日本中世禪林雖與中國禪林一樣，以戒、定、慧爲其修行的三大要件，卻埋首於外典之研究而有輝煌成果。故筆者在此一篇什首先探討那些僧侶的儒學觀，次言他們對《論語》的理解情形，並考察他們對《論語》所著重之仁、忠恕、孝等的見解。從而得知，他們不僅對儒家之此一經典能作深入理解，而祖述聖賢之意，更能將其旨意發揮，應用於布教方面。

〈日本五山禪僧之《孟子》研究〉一文，乃探討日本五山禪僧研讀宋儒新註《孟子》的情形。《孟子》雖因含有易世革命思想，致爲其當政者所諱避，但它必已爲其古代政府官員瞭解到某種程度而加以引用，此可由其七世紀初頒布之「憲法十七條」的遣詞造句中獲得佐證。當時把宋儒新說傳播日本，並使之發展者爲蘭溪道隆、兀庵普寧、一山一寧、石梁仁恭，及其他在南宋末、元初赴日的華僧。由於這些中國僧侶不僅有高深的佛學修養，而且儒學方面的造詣也極深，故他們對日本此一領域之學術研究所造成之影響也極大。日本五山禪林除自己研讀《孟子》外，也還勸幕府將軍讀它，並根據孟子之性善說、王道論立言，更將其仁義論附會於教育論之機微，像研究儒家之其他經典一樣，作深入探討，從而應用於傳教、布道方面，更於作應酬性文章時，也仍能引用《孟子》以酬對。可見他們非但對此書有深切瞭解，而且能將其應用自如。

〈日僧中巖圓月有關政治的言論〉一文，乃纂述曾於元代來華學佛的中巖圓月學成東歸後之活動情形。中巖平日除禪修、弘揚佛法，及從事著述外，也關心一般社會大衆之事，尤其對政治方面寄以莫大關心。因政治的良窳對一般社會民衆的日常生活有密切關聯，所以他一有機會便與當政者談論治國之道，勸其爲仁義之政。其有關此一方面的言論可大別爲仁義、經權兩方面。中巖認爲：仁是天生之性，固有於天地的親愛之道；義爲人倫之情，乃天性，亦即仁之活用，故仁義是萬善之統合，對父母盡孝，對國君盡忠，只是仁義相推而已。而仁爲天道，天道以愛爲主，愛過則無威嚴。義是人道，人道以禮法爲主，禮法過則無慈愛。無威嚴、無慈愛，則無法治天下。中巖認爲當政者必須施行仁政，並主張治國之道在於經權，亦即在於文武相須，但文治比武力重要。城堡不完固，兵甲不多，非國之災；田野不闢，貨財不聚，非國之害，而知仁與不仁，爲國家興亡之界線。因此，他認爲當時的日本時局之所以不穩，乃由於王政式微，武德顯示於天下而天下遂黷武所致。必須使士農工商各守本分，方能使國家富強。

〈日僧虎關師鍊的華學研究〉一文，係探討日本初期禪僧虎關師鍊研究華學的成就，並就其所著《濟北集》二十卷，摭拾有關他對中國歷史人物、儒家經典、史書、子書、文集方面的言論。虎關認爲當政者不可忽略覓有才德之人，或培育人才而舉用之，如此其政治方能更爲清明，更能獲人心。則天武后之所以敢肆無忌憚的憑自己之愛憎生殺百官，乃肇因於高宗之溺於色，惑於愛。高宗固爲使唐祚中斷的罪魁禍首，然太宗如不將帝位讓於他，便無武后，無武后，唐祚就不會中斷，所以太宗不得不受此罪。虎關也認爲程、朱等人不應以膚淺的佛教知識來批評釋教。在儒家經典方面，虎關對《周易》六九之義提出與一般學者不同的看法，在《書經》方面則認爲孔穎達在《正義》所註釋之文字過於瑣碎，有害正理。對《左傳》則雖云其文辭富贍，卻認爲左丘明記事不考始末而對其內容有意見。至於《論語》、《孟子》，則認爲前者未經聖刪，乃係其弟子們交相記載者，故其文大醇而小疵。對於後者，固然稱美孟子有救世思君之心懷，爲人師者應以之爲榜樣，卻批判孟子之以齊王之以羊易牛為仁術，及非難其對瞽叟殺人論的態度不夠謹慎。至其對史、子、集方面所表示之意見，褒貶俱有，其見解也未必與中原人士相同。

〈日僧義堂周信的儒學研究〉，係以與絕海中津同被譽為日本「五山文學之雙璧」的臨濟宗僧侶，義堂周信為考察對象。在此首先介紹義堂生平及其儒學觀，義堂認為：在自利向上的第一義上應否定文章，惟在利他向下的立場，則在不執著於文字的條件下可肯定文學。他視儒學為助道之一，用以表現自己悟道之心境的方式而同意它存在於禪門。並且認為儒、釋兩教在許多方面有其一致處，而儒教涵蓋於釋教之中。更認為儒家以仁為道之體，忠恕如其動靜脈。欲求於人者，先盡之在己，不願於人者，亦勿施於人；孔子善推此心，以行五倫。我們若能知此人倫綱常，則必能推此仁心以慈愛萬物，如能慈愛萬物，便能遵從佛旨，普渡衆生。義堂雖站在禪本位的立場，將儒學視為第二義，亦即將儒學視為便於弘揚禪宗與教化世俗的手段之一，但其有關文章方面的言論，儒學的成分較多，有如出自儒者之口。他除教化弟子外，也還致力教化武士，對他們講仁義與治國之道，而其所言內容頗富啓沃之力。

〈《滄浪詩話》與《潛溪詩眼》〉，為荒井健教授分析、比較在南宋末期完成的嚴羽之《滄浪詩話》，與被認為是在十二世紀初問世的，北宋人范溫所撰《潛溪詩眼》兩書之類似處與相異處。荒井謂《滄浪詩話》係集唐朝以後詩學之大成的作品，也是大家公認的宋代詩話代表作。詩話屬於文學批評的範疇，因其對象是詩或詩人，故多數僅是片斷的記載，這種傾向，在詩話興起的北宋時代最為顯著，唯一的例外，就是《潛溪詩眼》。荒井以為此兩書在詩禪說、反俗說、棄巧說方面有其類似處，而嚴羽與元祐詩學的關係密切。其相異點之一爲文體，《滄溪詩眼》常用對話，《滄浪詩話》裏的對話則絕無僅有。其二則是雖然嚴羽與范溫都排斥「雕琢」，但他們所用方法不同而有其內在的差異。由荒井的此一分析，得知《潛溪詩眼》重視個性與天才主義，《潛溪詩眼》則著重於自己的意志力量，即具有「詩眼」的人。

〈《水滸傳》裏的兩個宋江〉，係宮崎市定教授探討章回小說《水滸傳》所述一百零八個好漢之首領宋江的問題。宮崎認爲宋江火伴的數目，起初爲人所知，只有三十六人。自北宋末至南宋滅亡，近三百年的歲月中，這三十六人之數原有一定。當我們看到南宋末年所知的名簿時，與現今《水滸傳》的天罡星三十六人名稱大致相同。在三十六個大頭目之下，首先提到還有七十二個小頭目的，可能始於元代，因元雜劇的科白中，時常出現「三十六大夥，七十二小夥」的話，雖然如此，這一百零八人的名字，元代可能還沒有固定。其名字之固定不變，當在作者首次撰寫這部小說的那一剎那間才決定。至於宋江這位人物，宮崎係從散見於宋代史書之片斷記載，來探討其存在問題，並根據近年從陝西省府谷縣發現的北宋范圭撰〈宋故武功大夫河東第二將折公墓誌銘〉，南宋王偁的《東都事略》，李埴的《皇宋十朝綱要》，及楊仲良編《續資治通鑑長編紀事本末》等來考察宋江的存在，從而認爲《水滸傳》所舉宋江有兩個，其一是參與討伐在東南方叛亂之方臘的將軍宋江，另一個則是盤踞梁山泊，率領一百零八個綠林好漢的草寇宋江，而其說頗具說服力。

上述有關日本五山禪林研究中國學術的諸篇什，固難免有筆者主觀之看法與不成熟處，但中日關係史研究在國內史學界尚未能蔚然成風之今日，若能以此引起青年學子的興趣，投身於此一領域的鑽研，則幸甚。

一九九六年丙子初春　鄭樑生識於淡江大學歷史學系

日本五山禪僧之《論語》研究及其發展

一、前　言

自從《論語》成書以後，兩千多年來一直成爲東方人必讀之書。東方人無論立身處世，或治國平天下，無不以儒家思想爲主，而《論語》又是此一思想最精粹可靠之書，所以研究它的人歷來不絕，其相關論著可謂汗牛充棟。此一情形不僅中國境內如此，日、韓兩國亦然。如據日本史乘的記載，《論語》曾於三世紀八十年代，經由百濟官方正式東傳扶桑，從此該書即爲彼邦人士所研讀，且被視爲儒家之根本經典而受尊崇，將它列爲大學寮、國學之學生所必須修習的課程之一，一般人士也將該書所紀五倫奉爲待人處世之圭臬而至今猶未稍衰，就其中世禪林而言，他們當時研讀的漢籍所涵蓋的範圍極廣而不侷限於《論語》，但本文卻擬以本書作爲考察對象，以探討那些禪僧研究此一經典所獲心得，與將它利用於弘揚釋教之情形。

二、日本禪林的儒學觀

戒、定、慧乃佛教修行的三大要件，所謂戒，就是戒律，定就是禪定，慧則爲智慧，亦即防罪止惡，以求身、口、意之清淨，從而使散亂之心凝集於無爲，以明心性，以獲得解脫之知。因此，戒、定、慧三學爲三即一，一即三。①由於以戒律、知慧所爲之佛道修行爲漸修漸悟的，或道德的、學解的，因此禪宗雖不忽略戒與慧，卻特別重視定之專修，徹底見到人人本來具有，個個圓成底之佛性，以求頓悟成佛。②禪宗雖欲以禪定三昧之行來一超直入如來地，打入所謂父母未生以前之絕對世界，以臻於見性成佛，且在日常生活中能夠經常天眞流露絕對（佛性）之境界，但禪並未完全否定智慧與戒律。因爲禪宗在其發達之初即已從事《楞嚴經》、《金剛經》、《盤若經》等經典之研究，而其強調慧之教宗與禪宗之接觸、融合之傾向，自唐末至宋之間已相當顯著。③迄至宋末元初，此一傾向更爲顯著，如：永明延壽，④他曾參天台德韶⑤而獲禪之印可⑥，卻從事淨土之業，⑦故其著作不僅有以禪之立場來書寫之《宗鏡錄》百卷，更有從淨土立場來立說之《萬善歸宗》六卷，即是好例。

由於宋末元初之際，禪宗與其他宗派融合，而禪宗又適逢在此一時期東傳日本，所以教與禪，禪與淨土融合，對教理教相表示關心，從而研究內典之風潮高昂的風氣也自然被原原本本的東傳到彼邦，此事可以曾於南宋理宗端平二年（嘉禎元年，一二三五）來華，參禪於徑山之無準師範⑧而得其印可，於六年後的淳祐元年（仁治二年，一二四一）東返的辨圓圓爾⑨之採取教禪合一的態度獲得佐證。因爲辨圓自華返日時曾經帶回許多佛書，而那些佛書見於京都東福寺普門院所典藏圖書之經由釋大道一以⑩整理、編輯而成的《普門院經論章疏語錄儒書等目錄》。由此《目錄》，不僅可知辨圓採取教禪一致的立場，而且也可從而得知他對內典所表示關心之一端。

如就禪僧之著作觀之，他們不僅對內典表示關心，對外典，亦即對一般儒書也有相當的造詣。如以於大德三年（正安元年，一二九九）奉元成宗之命，持詔招諭日本不歸，在彼邦弘揚釋教，對日本漢學有深厚影響，而被日本人譽爲五山文學之祖的普陀山僧一山一寧⑪言之，其日籍弟子虎關師鍊⑫曾譽乃師之博學多才曰：

> 教乘諸部、儒、道、百家、稗官、小説、鄉談、俚語，出入泛濫。⑬

即一山除佛教方面的學識、修養外，對其他各方面的學問也多方通曉。虎關本人也曾被譽爲：

> 微達聖域，度越古人。強記精知，且善著述。凡吾西方經籍五千餘軸，莫不究達其奧，置之勿論。其餘上從虞、夏、商、周，下達漢、魏、唐、宋，乃究其典謨、訓誥、矢命之書；通其風、賦、比、興、雅、頌之詩。以一字褒貶，考百王之通典。就六爻貞𠧩，參三才之玄根。明堂之說，封禪之儀，移風易俗之樂，應答接問之論，以至子思、孟軻、荀卿、楊（揚）雄、王通之編；旁入老、列、莊、騷、班固、范曄、太史紀傳；三國及南北八代之史；隋、唐以降，五代、趙宋之紀傳；乃復曹、謝、李、杜、韓、柳、歐陽、三蘇、司馬光、黃、陳、晁、張、江西之宗，伊洛之學，……可謂座下斯文於不羞古矣！⑭

此乃中巖圓月⑮致虎關之尺牘，稱讚他於經、史、子、集，無所不通，其學涵蓋宋代以前的中國名儒。此固難免有言過其實之處，但其學問之淵博則不可否認。此可由其所著書《濟北集》及《元亨釋書》

等獲得佐證。

就汝霖良佐⑯而言，他曾於壯歲來華參諸大宿，掌華翰於蘇州承天寺，繼則與五山諸大老同入鍾山點校《大藏經》，爲其同袍所崇敬。明太祖聞其名，召之問法，禮遇甚渥。著有《高園集》一卷。宋濂〈跋〉其集曰：

日本沙門汝霖所爲文一卷，予讀之至再（三），見其出史入經，旁及諸子百家，固已嘉其博贍。至於遣辭，又能舒徐而不迫，豐腴而近雅，益歎其賢。云云。

中、日兩國禪僧的儒學造詣既如此，那麼他們對此一領域的學問之看法又如何？就華僧清拙正澄⑰而言，他雖守禪僧本分而不喜言儒道，卻也說過下列之言：

衲子在叢林十傑五論，自在教家傳播；九經十七史，古今興亡治亂，自有儒家講解；祿位權勢，自有寵宗顯達之士趨之。我輩沙門釋子，灰心泯志，直造佛祖閫域，眞達不疑之地，不愧平生尤可。⑱

然就其出身書香門第，十五歲以前便已在鄉校求學之事實觀之，則其自幼即已親近儒書，殆無疑慮。因此，他雖謂「沙門釋子，灰心泯志，直造佛祖閫域，眞達不疑之地，不愧平生尤可」，而不必涉及經史，不求祿位權勢，但他本身之有相當的文學修養，只要批閱其《語錄》、《文集》，即可獲得證明。清拙也曾言出家人不必熱衷於儒學，認爲儒、佛二教的教化方式雖彼此有異，但其根本則完全一致，曰：

天下無二道，西乾東魯之道同也。語其闡教，迹雖殊而皆導人爲善。云云。⑲

其早於清拙東渡的一山一寧也曾謂：

道同佛祖，以深慈拯濟黎元。德合乾坤，以至仁鎮隆社稷。⑳

華僧對儒學的看法既如此，在禪宗東傳不久的明初，與絕海中津㉑同被譽爲五山文學之雙璧的義堂周信㉒即謂：

凡孔孟之書，於吾佛學乃人天教之分齊書也，不必專門，姑爲助道之一耳。《經》云：「法尚可舍，又何況非法」。如是講則儒書即釋書也。㉓

而從人天教之分來取儒，且謂儒教涵蓋於佛教之中而爲人教，故如欲教化世人，則必須從儒教進入釋教，亦即儒教爲進入釋教之階梯，曰：

先告以儒行，令彼知有人倫綱常，然後教以佛法，悟有天眞自性。㉔

由義堂所言內容看來，他是想要利用儒教來弘揚禪教的，因此，他之所以倡導儒教的目的在使世人如何待人處世。天隱龍澤㉕則云：

人而不可不學，人而不學，即馬牛襟裾也。人非生而知者，從師而學之也。家有塾，黨有庠，遂有序，國有學，僉傳其道，解其惑者也。玉不琢，不成器；人不學，不知道。〈傳〉曰：「古之學者爲己，今之學者爲人」；豈翅人有古今之異而已哉！學亦然也，古之學，求諸己而不求諸人。言顧行，行顧言，擾擾者百千，周公者也。雖吾心法之妙，靡此而臻焉！㉖

此乃就儒家之爲學而言釋家亦應以爲學作悟道之入門，而天隱之所以認爲佛徒需讀儒書的原因，在於他們兩者之間有相互契合之處。所以就把釋氏所說之性——心，與孔氏所說之仁視爲相同而進一步說：

西方聖人之說性者，東家夫子之言仁者，名異理同。㉗

中、日兩國禪僧對儒學的看法既如前文所述，友山士偲㉘方讜言：

夫詩之道也者，以修一心爲體，以達六義爲用。所謂曰：「思無邪」者，蓋指一心之體也；移風易俗者，發六義之用也。以要言之，三教所談所說，不過體與用耳。然則作詩製文，於道有何害耶？㉙

而竟認爲包含道教在內的儒、釋、道三教之所談所說不過爲體與用，而於僧衆之修道並無害處。

日本禪林的儒學觀點既如此，則他們之不排斥，或甚而傾心於研究此一領域的圖書，乃自然趨勢。那麼，他們研究儒學的情形如何？茲以《論語》爲例，以考察其心得之一端。

三、日本禪僧對《論語》的理解

前文已說，《論語》被認爲是儒教之根本大典，而廣泛的爲日本人士所閱讀，而其禪僧社會亦復如此。惟在其中世以前的公卿社會，據以解釋《論語》者固爲漢唐古註，然自宋儒新註於南宋末年東傳彼邦以後，其講授新註，並使之發展起來者實爲禪林。我們從前舉《普門院經論章疏語錄儒書等目錄》中有《論語精義》三冊，及被疑爲朱震註《論語直解》之事實觀之，宋儒新註《論語》在日本鎌倉時代（一一八五～一三三三），亦即《四書集註》問世以後不久便已東傳日本。惟在《論語》東傳之初，並非所有禪僧都尊崇、禮讚，間亦有人懷疑其所紀文字非出自孔子之言者。如虎關師鍊所謂：

吾謂《論語》不經聖刪，諸徒交記，其文大醇而小疵。然則魯人誇國而矯聖言乎？若又孔子一時之戲謔，而贋徒闇識布簡牘耶？㉚

即認爲該書「大醇而小疵」，而採取批判的態度。虎關博覽強記，才高八斗，曾經廣泛涉獵宋儒之書而給周濂溪以極高評價，㉛但也批判程明道之雖採釋氏之道以爲其思想之骨幹而竟排佛。惟宋代諸儒中使虎關最無法諒解者爲朱熹。因此，他曾以極其激烈的語氣評謂：

《晦菴語錄》云：「釋氏只四十二章經，是他古書，其餘皆中國文士潤色成之。《維摩經》亦南北朝時作」。朱氏當晚宋稱巨儒，故《語錄》中品藻百家，乖理者多矣！釋門尤甚。諸經文士潤色者，事是而理非也，蓋朱氏不學佛之過也。……又，《維摩經》南北朝時作者不學之過也。……朱氏不委佛教，妄加誣毀，不充一笑。又云：「《傳燈錄》極陋」，蓋朱氏之極陋者文詞耳，其理者非朱氏之可下喙處。凡書者其文雖陋，其理自見。朱氏只見文字不通義理而言。佛祖之妙旨爲極陋者，實可憐愍。……朱氏不辨，曼加品藻，百世之笑端乎？我又尤責朱氏之責儒名而議吾焉。《大惠年譜》〈序〉云：「朱氏赴舉入京，篋中只有《大惠語錄》一部，又無他書」，故知朱氏剽大惠機辨而助儒之躰勢耳。……朱氏已宗妙喜，卻毀《傳燈》，何哉？因是言：「朱氏非醇儒」矣！㉜

由上舉文字觀之，虎關係在責備晦菴未深究釋氏之教的要旨而妄自排佛，從大慧宗杲㉝之《語錄》中盜取機辨而竟非難禪。我們姑且不論虎關之言是否允當，但他之未直接批判朱子之哲學說與新註，則是不爭之事實，而他積極肯定宋儒新說之事實也無容否認。因此，虎關本人雖曾讀宋儒之書，卻未曾積極鼓吹使之發展。㉞

虎關對宋儒的態度雖如此，但絕大多數的日僧卻將《論語》所紀文字視爲「聖言」，且將其言奉爲待人處世之座右銘。而他們據以解釋者則已非其平安時代（七九四～一一八五）之公卿貴族所依據的漢唐古註而採用宋儒新註。例如義堂周信所謂：

漢以來及唐儒者，皆拘章句者也，宋儒乃理性達，故釋義太高。其故何？則皆以參吾禪也。㉟

即是明證。

既然日本禪林絕大多數都重視《論語》，且以宋儒新註作爲解釋該書之依據，那麼他們對該書的理解又如何？茲以一二例子說明如下：

如衆所周知，人性秉於天，本心即性，析而言之，一爲良知，一爲良能；前者不慮而知，後者不學而能。如孩提之童，不慮不學，無不知愛其親，及其長，無不知敬其兄。子與父相處而生親親之情，仁也；弟以敬兄各得其宜，義也。此種父子兄弟之情誼，推而達之於天下，無不同然。㊱又，仁爲道之體，故孟子曾謂：「仁之實，事親是也。」義爲基於仁得宜之行爲，所以孟子又謂：「義之實，從兄是也。」㊲父子兄弟，長幼各有分界，如兄弟同行，兄前弟後，弟疾行兄者，則爲不弟，此屬於禮。

子對父行仁爲孝，弟對兄守禮義爲弟；此爲爲人之本，本立而道生，所謂堯舜之道，亦此孝弟而已。仁而禮義，既不犯上，又不作亂，則天下太平。㊳對於《論語》〈學而篇〉所紀，有子在孝弟方面所發之言，雲章一慶㊴所獲心得是：

孝弟也者其爲仁之本與，本註已瞭解。竊以爲孝弟爲幹，仁爲枝葉。但無論如何，因爲仁猶曰行仁，故孝弟也者其爲仁之本與。新註優於本註，其道理在於新註頗知性之理。㊵

雲章除說明孝、仁之何者爲幹，何者爲枝葉，也還說出漢唐古註與宋儒新註之何者爲優，何者較差，而且能指出其優點之所在。惟肖得巖㊶則祖述《禮記》〈祭義篇〉所紀曾子之言以言孝曰：

孝，誠士之大本也。擴焉而充，引而充焉而達，皆其類矣！威以可屈非孝，利以可誘非孝，朋友不擇非孝，道學不修非孝。然世之命孝也，以溫凊定省碌碌在下者，蓋一端而已，不亦小乎。㊷

惟肖既言「道學不修非孝」，則他是根據晦菴之學而發如是之言。

其次，就〈學而篇〉所紀「禮」、「和」言之，義堂周信曾根據有子所言：

禮之用，和爲貴；先王之道，斯爲美，小大由之。有所不行，知和而和，不以禮節之，亦不可行也。

作一番解釋。朱子雖謂：

禮者，天理之節文，人事之儀則也；和者，從容不迫之意。蓋禮之爲體雖嚴，然皆出於自然之理，故其爲用，必從容而不迫，乃爲可貴。先王之道，此其所以爲美，而小事大事，無不由之

也。㊸

但義堂的看法是：

夫和之爲義也，其說可考。儒氏則曰：「禮之用，和爲貴」。蓋言禮不以和濟焉則煩，和不以禮節焉則流。禮之與和，得乎適中而後可以行於己，可以施於人，是儒氏所以貴和也。佛氏則曰：「梵言僧伽，華言衆和合，而有理和焉。曰：戒和則同修，見和則同解，身和則同住，利和則同均，口和則無諍，意和則同悅，謂之六和。曰：證擇滅，擇滅則無爲，理和也。曰事理，二者咸和，則何道而弗成，何事而弗辨」？是吾佛氏所以貴乎和也。於虖！和之道大矣哉！天地和而後陰陽泰矣！山川和而草木蕃矣！五行和而後氣候均矣！君臣、父子、夫婦、兄弟、朋友之類，皆和而人道昌矣！儻或一弗和，則皆反是。云云。㊹

此言儒氏所說之和與釋氏所言者相同，兩者無不以和爲貴，而頗能體會有子言中之意。

由於日本禪林對儒家的此一經典能有充分的理解，所以在他們日常的布教活動中都能夠利用它、引用它而將它作爲座右銘者頗不乏其例。如：

義堂周信，《空華集》：見義不爲，無勇也。（〈爲政篇〉）

虎關師鍊，《濟北集》：參乎，吾道一以貫之。曾子曰：「唯」。……夫子之道，忠恕而已矣！（〈里仁篇〉）

景徐周麟，《翰林葫蘆集》：德不孤，必有鄰。（〈里仁篇〉）。

禪林不僅將《論語》所紀文字視爲金玉良言，也往往以該書中之人物或詞語爲題來賦詩，例如：

中巖圓月，《東海一漚集》：智者樂水，仁者樂山。（〈雍也篇〉）

夢窗疎石，《夢窗國師語錄》：二三子以我爲隱乎，吾無隱乎爾。（〈述而篇〉）

〈陋巷〉　鐵舟德濟

黃金富貴賤如土，華户蓬門樂不窮。浮世是非都不管，乾坤掛在一瓢中。㊺

〈曾參〉二首　策彥周良

曾子存誠繼志純，萱親去後又萱親。聲名高出四科上，有孝道來唯一人。

親待閑居拜聖顏，子輿孝冠沖尼門。幾人從此酌洙水，要究明王百拜顏。㊻

〈仁者樂山〉　月舟壽桂

仲尼道不載群經，山色巍然存典刑。楊墨紛紛皆培塿，求仁得者一峰青。㊼

〈讀鄉黨篇〉二首　琴叔景趣

〈鄉黨〉開篇春晝閑，聖人遺訓再追還。《五經》輨轄《四書》奧，收在恂恂兩字間。

身出衰周感歎深，一篇鄉黨尚遺今。山梁有雉得其處，季路何心三嗅心。㊽

〈閔子騫〉　南化玄興

芙絮雖輕寒不輕，可憐閔子送殘生。若令後母有慈愛，千歲爭高孝子名。㊾

由於日本禪林對《論語》有充分之瞭解方能對其內容作精當之解釋，而能將其心得以詩篇表達出來，其成就與中原人士較之，也不遜色。他們對《論語》的瞭解情形既如此，那麼他們又如何發揮其旨意來作爲布教之用呢？下文擬探討此一問題。

四、日本禪林對《論語》的利用

既然日本禪林對《論語》有相當之理解，那麼他們利用此書來宏揚禪教或敷衍前人之說的情形如何？茲以《論語》所著重之仁、忠恕、孝等爲例作一番考察。

1.仁

儒家哲學之中心爲仁。仁，从二从人。鄭玄曰：「仁，人相偶也」。人與人相偶，人與人對立之概念乃成。由概念而生意識，人見人而知同類，同類相處而起同情，人感人則推己及人。故仁乃人之道。[50]韓昌黎曾將仁釋爲博愛，程氏則把仁解作覺。[51]孟子曰：「仁，人心也」。[52]朱子曰：「心，德愛之理」。[53]日僧天隱龍澤則認爲儒釋兩教一致之相契合之根本在於仁，[54]且將仁解爲心，曰：

> 大哉！仁也，夫子罕說利與命與仁焉。云云。何謂之仁哉？本有之性是也。桃不得仁則不爲桃，杏不得仁則不爲杏，麥不得仁則不爲麥也。矧人乎物不具性者未之有也。[55]

因此他批判韓、程之見解曰：

> 儒者韓退之曰：「博愛之謂仁」。程子曰：「仁者，覺也，非博愛也」。樊遲問仁。夫子曰：「愛人」。然則韓氏博愛之言舍諸？孟子曰：「孺子將入於井，皆有惻隱之心，仁之端也」，

豈非博愛亦仁之端乎？覺亦仁之端，非仁也。56

職是之故，天隱方纔將仁釋爲心，把釋迦所說之性即心與孔子所說之仁視爲相同。仁者，愛之理，心之德。仁爲人與人之同情心，爲儒家之「明德」，爲儒道之體，其不能達此境界者，乃修道以教之明明德。因此，仁之用爲推己及人。而釋氏則以慈悲爲懷，故天隱方纔認爲人、性，名異而理同，可謂已完全體會孔氏之旨意，而其解說與韓、程諸儒有所不同，可見他並未一味祖述先儒之說而有其獨到之見解。堺（大阪府）海會寺住持季弘大叔57則進一步說：

> 仁也者何？人心也。濂洛諸君子以仁義禮智爲人之性，前人未發之鑰鍵也。紫陽朱夫子之言曰：「仁者愛之理，心之德」，斯言盡矣！我輩均是物也，犯稱萬物之長，其只有一箇之仁乎？且夫人心之妙，虛靈洞徹，備眾理，應萬物，明明歷歷，有少不休，或爲嗜欲所蔽，有時而昧，有良師良友之砭鋤之，而復于固有之性，則譬如日之東昇而靡幽而不照，四方之至廣，天地之至大，豈非我心府中之一物乎？58

此言非僅要以仁爲心，更要復性。仁已以教（存仁心），修己以安人（盡己待人），修己以安百姓（施情行道）。所以他認爲只要復天賦之性，便能與天合一，59而其所說則完全根據程、朱之說而來。

2. 忠恕

仁之推己及人，在行爲上可作兩方面觀，積極言之，盡己對人爲忠；消極言之，克己待人爲恕。己欲子對己孝，則以同一之情對父盡孝；己欲其子對己不悖逆，亦以同一之情對父不悖逆。前者爲忠，後者爲恕。仁爲孔子「明德」之體，推己及人爲「仁」之用。忠也，恕也，如其動靜脈，⑥⓪而夫子之道，忠恕而已矣！⑥①

天隱龍澤不僅將儒、釋兩教視爲一致，並且認爲禪教之師生道契之妙諦在以心傳心爲其極致。故乃從宋儒之說而以曾子之一唯而即能領悟孔子一貫之道，作爲以心傳心之證據，且將曾子與釋迦之弟子身子相比，而以他們兩位爲孔、釋兩教之雙璧⑥②曰：

文者道也，文之與道，未嘗相離也。道雖多歧（歧），只是一也；文雖衆體，只是一也。儒氏之文，于天祿，于石渠。孔子呼曾子曰：「吾道一以貫之」。人問其故。曾子曰：「夫子之道，忠恕而已矣」！忠恕二字，其旨深，以忠恕一理，統天下萬殊也，是儒氏之文也。佛氏之文，于虬宮，于海藏。《經》曰：「唯有一乘法，無二亦無三，是佛家者文也」。洙水之徒三千，領一貫之旨者，曾子而已矣！靈岳之衆百萬，讓一味之法者，身子而已矣！⑥③

由此可知，天隱認爲儒釋兩教在心性方面一致而頗得儒氏之眞諦，同時也從而得知他認爲在孔門三千弟子中，領悟乃師一貫之旨的，唯有曾子而已。

不僅天隱和尙認爲釋家之以心傳心與儒家之仁相契合，季弘大叔也持與他相同的見解，並且更進一步地說：

嘗考鄒魯聖賢之言，至乎夫師資授受之際，間有與吾氏相契者。孔夫子呼曾參，告以吾道一以貫之，參應之不過只曰：「唯」焉。蓋於夫子之言，領而不疑也。門人或有惑焉，則又諭以夫

> 子之道忠恕而已矣！師資授受之際，間不容議如斯，聖人之道，一理渾圓，粹然而不駁。而凡天下之事，未嘗由斯而不出，譬猶一氣之渙散而舒卷於萬物。曾參於夫子所指之路頭，一反掌之頃，自領不迷，言之難以曉，則強而告以忠恕之言，欲人之易曉也。且夫忠者盡己之謂焉，恕者推己之名焉。子程子曰：「夫子言：忠，天道也，恕者亦人道也，而恕所以行忠也。蓋聖人之道，必由其才而篤，猶如豫章杞梓之于鄧林之地者，爲良材也」云云。吁！佛祖以來，非上智之資，則不能當授受之任，固非世儒之所能爲也焉，其與吾氏相契者蓋其跡耳。㊿④

據此以觀，季弘認爲儒、釋二教在以心傳心方面相契合。此一觀點固爲儒者所同意，然其所謂「其與吾氏相契者蓋其跡耳」，而認爲儒家之心傳不及釋家之徹底眞正的見解，則未必爲儒者所苟同。至其對忠恕兩字所爲之解釋，則只承襲朱註所謂：「盡己之謂忠，推己及人之謂恕」。而無新意，惟其所說：

> 在昔朱泗之間，列於仲尼之徒者三千人，皆靡不聞其道，獨曾參氏天資篤實，纘聖人之統，不敢墜其傳，視於三綱八條之學而可覯焉。然則知夫子者，烏有如曾參氏者耶？(65)

而認爲在孔門弟子中，得乃師正傳者唯曾參一人的說法，則與中土人士之觀點相同而正確。(66)

3. 孝

仁爲道之體。孟子謂：「仁之實，事親也」。義爲基於仁「得宜」之行爲。孟子又謂：「義之實，從兄是也」。(67)子對父行仁爲孝，弟對兄守禮義爲悌，此乃爲人之本，本立而道生。所謂堯舜之道者，亦此孝悌而已。人能孝悌而禮義，既不犯上，又不作亂，則天下太平矣！㊽有子曰：

其爲人也孝弟，而好犯上者鮮矣，不好犯上，而好作亂者未之有也。君子務本，本立而道生，孝弟也者其爲仁之本與？㊾

仁行於義爲孝，孝仍配義與禮。對於此一問題，雲章一慶曰：

孝弟也者其爲仁之本與，本註已瞭解。竊以爲孝弟爲幹，仁爲枝葉。但無論如何，爲仁猶曰行仁，故孝弟也者其爲仁之本與，新註優於本註，其故在於新註頗知性之道理。㊿

惟肖得巖則曰：

孝，誠士之大本也，擴焉而充，引而充焉而達，皆其類矣！威以可屈非孝，利以可誘非孝，朋友不擇非孝，道學不修非孝。然世之命孝也，以溫清定省碌碌在目下者，蓋一端而已，不亦小乎。㋐

由這段文字看來，惟肖雖在祖述《禮記》〈祭義篇〉所見曾子之言，然就其所言「道學不修非孝」觀之，則他除重視孝道外，也還重視朱子之道學。㋑

岐陽方秀㋒對孝的觀點是：

夫孝也者，順乎理以爲孝也。但以理有淺深而不同爾。戒愼不睹，恐懼不聞者，儒教所以行孝，順乎理也云云。吾宗則不爾，人人但向父母未生以前發大精進，起大勇猛，撞著所謂本來面目，則謂之順理。㋓

岐陽此言乃根據華僧佛日契嵩[75]之《補教編》而發，他認爲心以完虛靈不昧之本體而加以認知者爲孝，故其所說未失佛門弟子之本色。

如衆所周知，張橫渠之〈西銘〉乃宋代倫理思想之精髓，其意在於人爲天地之子，故以天地廣大無私之心以完之爲孝，而其歸趨亦與禪家之孝相同。因此，岐陽又據以評之曰：

> 觀彼訂頑（〈西銘〉）之訓，乃知橫渠學出吾釋氏。乾父坤母，民吾同胞，物吾與也。然則其爲孝也，菽水云乎哉！甘旨云乎哉！自非其道歸一，則何及乎此。達人大觀，二教不可不埒焉。[76]

而認爲橫渠所言之孝，與釋家所說者相同。岐陽雖謂釋氏之孝，「人人但向父母未生以前發大精進，起大勇猛，撞著所謂本來面目」，惟人之事親，先儒視宗族綿延，一脈相承，悠遠無疆。曾子於此，謂「愼終」，曰「追遠」。人能愼父之終，追宗之緒，自己德厚，用以化民，民德且歸於厚。[77]孟子亦謂：僅養父之生，不足即爲事親之大，惟盡送死節，乃可以當大事。[78]所以人之事親養生送死，愼終追遠，亦即事死如事生，事亡如事存；其猶踐先祖之位，行其禮，奏其樂，敬其所尊，愛其所親，繼志述事，如此方可謂至孝。[79]由此觀之，中國聖賢對孝所爲之詮釋，與日本禪僧所言之孝，未必相同。

由上述數例可知，日本禪林不僅對《論語》能作深入理解而祖述中國聖賢之意，更能將其旨意發揮而應用於其布教方面。

五、結　語

前文係從日本禪林之儒學觀，及他們對《論語》的理解及其應用情形作一番考察，由此，當可窺知其重視此書之梗概。惟日本自從其鎌倉時代起至室町時代，儒學的演進趨勢是因程朱之學的發展使明經家學之內容發生變化，其由五山禪僧執牛耳的宋儒新說，經由爲避室町末期之戰亂而自京都疏散的人們移植到地方。迄至江戶時代，則在元和偃武⑧⓪之後，在文化上獲得自我反省的充裕時間，從而開其批判封建制度之膠著矛盾的文化之端緒，而所謂「古學」之興起，適足以說明這一點。至其與日本國學之復古機運先後興起的儒學之復古精神，則非但成爲扮演從中世進入近世的文化之媒介，而且程朱之學也被江戶幕府列爲官學，成爲文教政策之根本依據。不過值得注意的是當時幕府之所以將程朱之學作爲官學的原因，並非認爲其所言之精湛，乃是此一學說對保護其存在原理的封建制有益。然當幕府存在之原理的封建制之矛盾性隨其文化之發展而逐漸表面化以後，其封建的專制勢力卻逐漸式微，其因程朱之學爲官學，而蟄伏的儒學之其他各學派，便獲隨時代之進展而來的自然科學發達之餘慶，而各自開拓其新領域了。

〔註釋〕

①：芳賀幸四郎，《中世禪林の學問および文學に關する研究》（京都，思文閣，昭和五十六年十月），頁二二～二

三。

②：芳賀幸四郎，前舉書頁二三。

③：同前註。

④：永明延壽（九〇四～九〇七），浙江餘杭人。俗姓王，字沖玄、抱一子。幼時有志出家，未果，乃爲官吏。二十八歲時，參雪峰之法嗣翠巖令參而得度。後來嗣天台德韶之法，爲法眼宗三祖。後周世宗廣順二年（九五二），入雪竇山資聖寺，後因吳越忠懿王之請，住靈隱寺。又至永明寺（後爲淨慈寺），兼修禪與念佛，入夜則於別峰行道念佛爲常。王乃建西方廣教殿使其居住。因此，石芝宗曉尊之爲蓮社七祖，時人則崇爲慈氏（彌勒）降生。所著《宗鏡錄》百卷亦爲道俗所尊重。高麗王仰慕其德，特遣僧侶三十六人隨其學習。於是宋代式微之法眼宗遂弘揚於高麗。諡智覺禪師。著作尚有《萬善同歸集》三卷，及《唯心訣》等。

⑤：天台德韶（八九一～九七二），法眼宗僧侶。處州（浙江省）龍泉人。俗姓陳。年十七，投邑之龍歸寺出家。後梁太祖開平年間（九〇七～九一〇），參投子大同、龍牙居遁。後來謁臨川（江西省）之法眼文益而嗣其法。之後，登天台山復興智者大師之遺跡。後漢隱帝元祐元年（九四八），吳越忠懿王以國師之禮待之。北宋太祖開寶六年六月二十八日示寂。世壽八十二。

⑥：印可，印就是印定、印信，可乃許可、認可，係印定稱可，印可證明等詞之簡稱，亦即禪門的師家檢點修行者之境地，如認爲其悟境已臻圓熟，則將其悟境認可而給予證明，其處理方式則因禪門宗派之不同而有異。修行者之獲師家之印可，即意味其修行已告大成。修行者獲此印可以後，始可繼承師家之衣鉢。《維摩經》〈弟子品〉云：

「佛是宴坐者，佛所印可」。

⑦：業，佛語。梵語Karma，音譯爲羯磨。義爲業、造作。主要指生命一切的活動現象，包括行爲的、思想的、善的、惡的、非善非惡的一切行爲造作。佛教說在六道中生死輪迴，是由業足。業包括行動、語言、思想各方面。業有善有惡，一般多指惡業。《佛說四十二章經》云：「心不繫道，亦不結業」。

⑧：無準師範（一一七八～一二四五），臨濟宗楊岐派破菴派僧侶。四川劍閣人。九歲出家，嗣破菴祖先之法。在浙江明州開法。經徑山、雪竇、育王，奉勅進徑山。奉南宋理宗之召奏對，更於慈明殿陞座說法。獲賜佛鑑禪師之號。世壽七十二。遺有《佛鑑禪師語錄》五卷。無文道璨著有《徑山無準禪師行狀》。

⑨：辨圓圓爾（一二〇二～一二八〇），日本鎌倉時代禪僧，勅諡聖一國師。南宋理宗端平二年（一二三五）來華，參徑山之無準師範而得其印可。東返後，曾先後爲其三位天皇授戒，且曾三度前往鎌倉弘揚佛法，其門流稱東福寺派或聖一派。他從中國帶回的漢籍之內容見於經釋大道一以整理、編輯而成之《普門院經論章疏語錄儒書等目錄》。

⑩：大道一以（一二九二～一三七〇），日本臨濟宗聖一派。俗姓平，誕生於出雲（島根縣）。自七八歲起即好坐禪。年十一，出家於故里之枕木山，兩年後，登京都比叡山受戒。元順帝至正二年（一三四二），應夢窗疎石之請住阿波（德島縣）補陀寺。曾於安國寺開山，歷住東福、南禪諸寺。著有《赤肉圓》（又名《大道和尚語錄》）等。

⑪：一山一寧（一二四七～一三一七），臨濟宗楊岐派。浙江台州人。俗姓胡。嗣頑極行彌之法。元成宗大德三年（一二九九），奉命持詔東渡招諭日本。鎌倉幕府曾將其囚禁於伊豆修禪寺，但幕府執權（職稱）北條貞時聞其德

識，乃將其迎住建長寺。後來歷住鎌倉圓覺、京都南禪等寺而竟不歸。一山博學，對朱子學造詣尤深。工於書法，晚年之草體堪稱一絕云。

⑫：虎關師鍊（一二七八～一三四六），日本鎌倉末期禪僧。曾先後師事三聖寺之東山湛照、南禪寺之規庵祖圓。又曾從公卿菅原在輔習儒，於仁和、醍醐兩寺學密教。元英宗至治二年（元亨二年，一三二二），完成《元亨釋書》三十卷。歷住三聖、東福、南禪諸寺。順帝至正二年（一三四二）獲國師號。著作除上述外，尚有《禪戒規》、《濟北集》、《聚韻分略》等。

⑬：虎關師鍊，《濟北集》〈一山國師行狀記〉。

⑭：中巖圓月，《東海一漚集》，卷三，〈與虎關和尚〉。

⑮：中巖圓月（一三〇〇～一三七五），日本臨濟宗楊岐派大慧派。相模（神奈川縣）人。元泰定元年（一三二四）來華，歷參石室如芝、古林清茂、龍山德見，之後參東洋德輝而爲其書記。至順三年（一三三二）回日，著有《語錄》及《東海一漚集》。

⑯：汝霖良佐，生卒年不詳。日本臨濟宗夢窗派。遠江（靜岡縣）高國人。明洪武元年（一三六八）與絕海中津聯袂來華，遍參各地名刹。曾奉召在南京英武樓覲見太祖，九年返國。嗣春屋妙葩之法。著有《高園稿》。

⑰：清拙正澄（一二七四～一三三九），臨濟宗楊岐派破菴派。福州連江人。俗姓劉。年十五，隨報恩寺之伯父月溪圓出家，翌年至開元寺受戒。元泰定三年（一三二六），受日本北條氏之聘，與其弟子永錤同往日本，歷住鎌倉之建長、淨智、圓覺，京都之建仁、南禪諸寺。諡大鑑禪師。著有《語錄》、《禪居集》等。

⑱：清拙正澄，《清拙正澄語錄》〈示元亨首座法語〉。

⑲：清拙正澄，《禪居集》。

⑳：一山一寧，《一山一寧語錄》，卷二。

㉑：絕海中津（一三三六～一四〇五），日本室町時代初期臨濟宗僧侶，擅長中國近體詩。明洪武元年來華，九年東歸。在華期間，曾至杭州中天竺寺學佛法，且曾於金陵奉天殿覲見明太祖，以日本徐福祠為題，獲唱和之殊榮。該唱和詩被收錄於日人伊藤松所輯《鄰交徵書》，初篇，卷二，〈詩文部〉。絕海著有詩文集《蕉堅稿》。

㉒：義堂周信（一三二五～一三八八），日本南北朝時代臨濟宗僧侶，初期五山文學代表作家之一。號空華道人。土佐（高知縣）人。夢窗疎石之弟子，著有詩文集《空華集》，及日記《空華日用工夫略集》。

㉓：義堂周信，《空華日用工夫略集》，應安四年（一三七一）六月三日條。

㉔：義堂周信，《空華集》，卷一一，〈演宗講主序〉。

㉕：天隱龍澤（一四二二～一五〇〇），播磨（兵庫縣）人。七歲時赴京都，名隸建仁寺。十歲起侍師叔寶洲宗衆，受教凡二十年。其間曾參諸名宿研究學問，著有《翠竹眞如集》（又名《天隱語錄》）二卷，及《默雲稿》、《天隱文集》、《錦繡段》、《點鐵集》各一卷。

㉖：天隱龍澤，《天隱文集》〈古學字說〉。

㉗：天隱龍澤，《天隱文集》〈仁岳字說〉。

㉘：友山士偲（一三〇一～一三七〇），俗姓藤原，山城（京都府）人。曾於元順帝天曆元年（一三二八）西來求佛

法，在華停留凡二十八年。返日後，歷住甲斐（山梨縣）淨居，京都安國、東福、臨川諸寺。晚年退居東福寺內之萬年庵。世壽七十，著有《語錄》三卷。

㉙：友山士偲，《友山語錄》，卷二，〈跋知侍者送行詩軸〉。

㉚：虎關師鍊，《濟北集》〈通衡之四〉。

㉛：虎關師鍊，《元亨釋書》，卷二，〈榮西傳贊〉云：「仲尼沒而千有餘歲，縫掖之者幾許乎，唯周濂溪獨擅興隆之美矣」！

㉜：虎關師鍊，《濟北集》〈通衡之五〉，卷末語。

㉝：大慧宗杲（一〇八九～一一六三），臨濟宗楊岐派。宣州（安徽省）寧國人。俗姓奚。年十三，入鄉校學儒學。十六歲，就東山慧雲寺之慧有得度，翌年受具足戒，獨究禪籍。大觀元年（一一〇七）秋登廬山，後來參洞山微學曹洞要旨。住徑山能仁禪院，大振宗風。得南宋孝宗皈依，獲賜大慧禪師之號。隆興元年示寂，世壽七十五，法臘五十八。諡普覺禪師，著有《大慧語錄》、《大慧武庫》。

㉞：芳賀幸四郎，前舉書，頁二三一。

㉟：義堂周信，《空華日用工夫略集》，永德元年（一三八一）九月二十五日條。

㊱：《孟子》〈盡心篇〉，上云：「人之所不學而能者，其良能也；所不慮而知者，其良知也。孩提之童，無不愛其親者，及長也，無不知敬其兄也。親親，仁也；敬長，義也；無他，達之天下也」。陳式銳，《唯人哲學》（廈門，立人書報社，民國三十八年一月），頁九四。

㊲：《孟子》〈離婁篇〉，上云：「孟子曰：仁之實，事親也；義之實，從兄是也。」
㊳：陳式銳，《唯人哲學》，頁九五。
㊴：雲章一慶（一三八五～一四六三），左大臣一條經嗣之子，關白一條兼良之庶兄。六歲時投山崎成恩寺。年十六，落髮受具。初學於仲芳（方）圓伊，繼則師事岐陽方秀。昕夕勤研內外典，以精該見稱。岐陽愛其聰慧，故當董東福寺時即命雲章掌輪藏。明宣宗宣德六年（永享三年，一四三一），開堂於普門院。七年，奉其後小松天皇之勅，入宮講授《元亨釋書》。英宗正統元年（嘉吉元年，一四四一），住東福寺，尋董南禪寺。晚年退居東福寺之寶渚庵。英宗天順七年（寬正四年，一四六三）正月二十三日示寂，世壽七十八。勅諡弘宗法師。著有《雲桃抄》，《五燈一覽圖》。
㊵：雲章一慶，《雲桃抄》〈報本章〉。
㊶：惟肖得巖（一三六〇～一四三七），十六歲時上京都從草堂林芳剃度受教。性睿敏，於經史子集無不涉獵，而以文章著稱當時。曾歷住攝津（兵庫縣）棲賢寺，京都眞如、萬壽、天龍、南禪諸寺。晚年退休南禪寺內少林院之雙桂軒，故世稱雙桂和尚。著有《東海瓊華集》七卷，《語錄》二卷。
㊷：惟肖得巖，《東海瓊華集》〈瞻雲軒序〉。
㊸：朱熹在《論語》〈學而篇〉中對上舉有子之言所爲之註解。
㊹：義堂周信，《空華集》，卷一七，〈和仲說〉。
㊺：鐵舟德濟，《閻浮集》。

㊻：策彥周良，《謙齋詩集》。
㊼：月舟壽桂，《幻雲詩稿》。
㊽：琴叔景趨，《松陰集》。
㊾：南化玄與，《虛白錄》。
㊿：陳式鋭，前舉書，頁一五。
51：朱熹，《論語集註》。
52：《孟子》〈告子篇〉。
53：同註五一。
54：天隱龍澤，《天隱文集》〈仁岳字說〉云：「西方聖人之說性者，東家夫子之言仁者，名異理同。」文中所謂西方聖人指釋迦，東家夫子則指孔子。
55：天隱龍澤，《天隱文集》〈仁岳字說〉。
56：同前註。
57：季弘大叔（一四二一～一四八七），日本臨濟宗聖一派僧侶，備前（岡山縣）人。自幼出家，十三歲時參京都東福寺之竹庵大緣而嗣其法。歷住東福寺，堺（大阪府）海會寺。世壽六十七。著有《蔗軒日錄》三卷、《蔗菴遺稿》一卷。
58：季弘大叔，《蔗菴遺稿》〈東明字說〉。

59：季弘大叔，《蔗菴遺稿》〈天啓字說〉云：「天也者何，道也，理也，性也，誠也，而人之所以爲人，亦無他，以仁，以義，以禮，以智也。故人能正心修身，以復性之始，則天之與我，不約而爲一矣」！

60：陳式銳，前舉書，頁一六。

61：《論語》〈里仁篇〉。

62：足利衍述，《鎌倉室町時代之儒教》（東京，有明書房，昭和四十五年三月），頁四一八。

63：天隱龍澤，《天隱文集》〈希文字說〉。

64：季弘大叔，《蔗菴遺稿》〈恕林字說〉。

65：季弘大叔，《蔗菴遺稿》〈秋浦字說〉。

66：參看足利衍述，前舉書，頁三九九。

67：《孟子》〈離婁篇〉，上。

68：陳式銳，前舉書，頁九五。

69：《論語》〈學而篇〉。

70：雲章一慶，《雲桃抄》〈報本章〉。

71：惟肖得巖，《東海瓊華集》〈瞻雲軒序〉。

72：足利衍述，前舉書，頁三七八。

73：岐陽方秀（一三六一～一四二四），臨濟宗僧侶。讚岐（香川縣）人。俗姓佐伯。投東福寺之石窓泉。年十二，就安國寺之靈源性浚得度，受具，轉而參相模之諸禪匠，更請教明朝使節天倫道彝有關禪要之各種問題。之後嗣靈源之法，出而爲讚岐道福寺住持。歷遷京都之普門、東福、天童、南禪諸刹而大振禪風。晚年則退居東福寺栗棘庵，建不二庵。明永樂二十二年（應永三十一年）二月三日示寂。世壽六十四。遺有《不二遺稿》、《寶林僧寶傳不二抄》、《中峰廣錄不二抄》、《天關中禪師行實》、《人天眼錄不二抄》、《碧巖錄不二抄》、《源流禪師行狀》、《日本僧寶傳》等著作多種。

(74)：岐陽方秀，《不二遺稿》，卷上，〈贈與窗董上人敍〉。

(75)：佛日契嵩（一〇〇七～一〇七二），雲門宗。廣西藤州人。俗姓李。十三歲得度，剃髮。十九歲，行腳廣求禪師學之，嗣江西筠州洞山曉聰之法。著有《禪門定祖》、《佛法正宗論》、《補教編》等。嘉祐六年（一〇六一），仁宗賜予明教大師之號。後來住佛日山。神宗熙寧五年六月四日示寂，世壽六十六。

(76)：岐陽方秀，《不二遺稿》，卷上，〈送東胡春知客歸越中序〉。

(77)：《論語》〈學而篇〉云：「曾子曰：愼終追遠，民德歸厚矣」！

(78)：《孟子》〈離婁篇〉，下云：「孟子曰：『養生者，不足以當大事；惟送死，可以當大事』。」

(79)：《中庸》〈第十九章〉云：「踐其位，行其禮，奏其樂，敬其所尊，愛其所親；事死如事生，事亡如事存，孝之至也」。陳式銳，《唯人哲學》，頁一〇〇。

(80)：元和偃武，言日本在其元和年間（一六一五～一六二四）消滅以大阪城爲據點的豐臣秀吉之子秀賴以後，國內不再發生較大規模的戰亂而天下太平。

（本文原刊於《第七、八屆中國域外漢籍國際學術會議論文集》，臺北，聯合報文化基金會國學文獻館，一九九五年十月）

日本五山禪僧之《孟子》研究

一、前　言

《孟子》七篇究竟於何時經由何人東傳日本，雖因年代久遠，史料難徵，已不可詳考，但至遲在《日本國見在書目錄》被完成的九世紀九十年代已為彼邦人士所閱讀而殆無疑慮。惟日本人士認為《孟子》含有易世革命思想而長久以來其官方有諱避它的現象。但隨著《四書》中心主義的宋代新儒學經由禪僧東傳，在日本普及以後，其尊崇《孟子》的風潮便逐漸開展。雖然如此，其研讀《孟子》的似仍不及研究《論語》者多，此可由彼邦人士所留下的文獻得知其一二。

日本五山禪僧所讀之《孟子》為宋儒新註。宋儒新註的《孟子》之東傳日本的紀錄始見於釋大道一以編輯之《普門院經論章疏語錄儒書等目錄》。因此《目錄》所錄列的圖書都是日僧辨圓圓爾於南宋理宗淳祐三年（日本寬元元年，一二四三），自華學佛東歸時帶回者，所以朱註《孟子》至遲在淳祐三年以前便已傳到日本。迄至十四世紀二十年代，日本人士研讀《孟子》的風氣不僅已經開展，而且其尊崇此書的風氣也已逐漸昂揚而更及於其皇室，故花園天皇（一三〇八～一三一八在位）曾在其

《日記》記載閱讀《孟子》以後之感想：

日前讀《孟子》，此書指無說歟？仍不及傳授。惟見其旨誠實，仲尼之道委見於此。其盡人之心性，明道之精微，無如此書者，後生必研讀此書乎？①

當時的日本天皇既已研讀此書，那麼，其爲日本中世儒學研究之主流的五山禪僧閱讀它的情形又如何？本文擬從他們遺留的著作中摭拾有關此一方面的記載，藉窺其一豹。

二、日本古代的《孟子》研究

《孟子》雖因被日本官方認爲含有易世革命思想，致爲其所諱避，而該書東傳彼邦的確實年代，及其爲哪些人士所閱讀的情形也不甚明瞭，但這並非即表示孟子的思想、言論完全不爲古代扶桑人士所接受。《孟子》七篇既然不受其官方之歡迎，則它必已被其當時的政府官員瞭解到某種程度，亦即它在當時已爲彼邦人士所熟稔，方纔對它有所顧忌而有意迴避，而未把它列爲大學寮及國學的學生之必修課程。

即使《孟子》在《日本國見在書目錄》完成的九世紀九十年代以前尚未東傳日本，但彼邦人士從其他在當時已東傳的儒家經典之注疏中，必也已知其存在，且對它已有某種程度的認識。就以魏人何晏等注，宋人邢昺所疏《論語注疏》而言，其〈學而〉、〈爲政〉、〈述而〉、〈顏淵〉諸篇有引用《孟子》者多處，其情形如下：

篇名	章名	注疏	說明
學而	學而時習之	疏	若高子、孟子之類是也。
學而	道千乘之國	注	（馬）融依《周禮》，包（子）依王制孟子，義疑，故兩存焉。
學而	道千乘之國	疏	孟子云：「方里而井，井九百畝」。是也。
學而	道千乘之國	疏	又，孟子云：「天子之制，地方千里；公、侯之制，皆方百里；伯，七十里；子、男，五十里」。
學而	道千乘之國	疏	孟子者，鄒人也。名軻，師孔子之孫子思，治儒術之道，著書七篇，亦命世聖之大才也。
爲政	子游問孝	注	包曰：「……孟子曰：『食而不愛，豕畜之；愛而不敬，獸畜之』。」
爲政	子游問孝	疏	《正義》曰云孟子曰者，案《孟子》〈盡心〉篇：孟子曰：「食而不愛，豕交之也；愛而不敬，獸畜之也」。趙岐注云：「……引之以證孝必須敬。彼言豕交之比作豕畜之者，所見本異，或傳寫誤」。
述而	不憤不啓	注	是無惻隱之心。
顏淵	哀公問於有若	疏	孟子云：「夏后氏五十而貢，殷人七十而助，周人百畝而徹，其實皆什一也」。趙岐注云：「……孟子又曰：『方里井，井九百畝，其中爲公田，八家皆私百畝，同養公田。公事畢，然後敢治私事』。……又，孟子對滕文公云：『請野九一而助，國中什一使自賦』。……」趙岐不解夏五十，殷七十之意，云云。

就《韓詩外傳》而言，亦可摭拾如下之句子：

○孟子曰：「仁，人之心也；義，人路也。……求其放心而已」。（卷四）

○孟子說齊宣王而不說淳于髡。……淳于髡曰：「夫子亦誠無善耳」。（卷六）

○孟子少時誦，其母方織。孟子輟然中止，乃復進。其母知其諠也，呼而問之曰……。（卷九）

日本古代人士既可經由經書之注解間接瞭解孟子，亦可從史書得知其思想方面的問題。例如：《史記》〈孟荀列傳〉所謂：

○太史公曰：「余讀《孟子》書，至梁惠王問『何以利吾國』？未嘗不廢書而歎也。曰：「嗟乎……利，誠亂之始也」！夫子罕言利者，常防其原也。故曰：『放於利而行，多怨』。自天子至於庶人，好利之弊何以異哉」！

○孟軻，騶人也。受業子思之門人。道既通，游事齊宣王，宣王不能用。適梁，梁惠王不果所言，則見以爲迂遠而闊於事情。當是之時，秦用商君，富國彊兵；楚、魏用吳起，戰勝弱敵；齊威王、宣王用孫子、田忌之徒，而諸侯東面朝齊。天下方務於合縱、連横，以攻伐爲賢，而孟軻乃述唐、虞、三代之德，是以所如者不合。退而與萬章之徒序《詩》、《書》，述仲尼之意，作《孟子》七篇。

就《說文》而言，許愼的注裏也曾引用若干《孟子》的文字，例如：

○謜，徐語也，从言，原声。《孟子》曰：「故謜謜而來」。（言部，頁九）

鬨，鬥也，从鬥，共声。《孟子》曰：「鄒與魯鬨」。（鬥部，頁一一五）

○叔，惄惄然也，从欠，尗声。《孟子》曰：「曾西叔然」。（欠部，頁四一七）

○浼，污也，从水，免声。《詩》曰：「河水浼浼」。《孟子》曰：「汝安能浼我」。（水部，頁五七〇）

○婐，婐姽也，从女，果声。一曰：「果敢也」。一曰：「女侍曰婐」，讀若騧。一曰：「若委」。

孟子曰：「舜爲天子，二女婐」。（女部，頁六二五）

因《說文》亦爲古代日本人所必讀，故該書所引《孟子》之爲彼輩所閱目，自屬必然。

至於唐人魏徵奉勅而輯之《群書治要》，亦爲當時的日本統治階級所必讀，而他們所以必讀此書的原因在於它是從經、史、子三部六十餘種圖書中輯錄有關爲政之記載而成，故其內容乃身爲爲政者不可不知的，所以自然受到那些統治階級的貴族們所重視而加以披閱。此書所引用《孟子》之篇什有《梁惠王》、《公孫丑》、《滕文公》、《離婁》、《告子》、《盡心》諸篇。就其所引用《梁惠王》、《公孫丑》篇之文字而言，有如下各章：

梁惠王：

○孟子見於梁惠王，王曰：「叟！不遠千里而來……」。王何必以利爲名乎，亦惟有仁義之道者可以利爲名耳。以利爲名，則有不利之患矣！

○王曰：「何以利吾國？……」惡其爲民父母也。

○齊宣王曰：「文王之囿，方七十里，不亦宜乎」！

公孫丑：

○孟子曰：「人皆有不忍人之心，……」。

○孟子曰：「矢人豈不仁於函人哉矣」！

○孟子曰：「子路告之以過則善。……與人為善」。

由上文所舉例子可知，即使《孟子》在當時尚未東傳，日本人士也必可經由他們所熟稔的《論語》、《韓詩外傳》、《史記》、《說文》、《群書治要》及其他各種漢籍所記載的文字得知孟子的生平、思想，及《孟子》七篇所述唐、虞、三代之德，與夫其序《詩》、《書》，述仲尼之意的情形。姑且不論《孟子》七篇在日本上古時代是否已東傳，但它在當時已為彼邦人士所引用，卻是不爭之事實。就聖德太子於隋文帝仁壽四年（日本推古天皇十二年，六〇三）頒布之「憲法十七條」而言，其第十二條曰：

國司、國造，勿斂百姓。國非二君，民無兩主。率土兆民，以王為主。所任官司，皆是王臣，何敢與公賦斂百姓。

條文中「國非二君，民無兩主」，當是根據《孟子》〈萬章篇〉所記載「天無二日，民無二王」，或《禮記》〈坊記〉所言「天無二日，土無二王」；《孔子家語》〈本命解〉所記「天無二日，國無二君」；以及《吳志》所書「天無二日，土無二王」等文字，方纔於其《憲法》中寫作「國非二君，民無兩主」的。所以古代的日本人士即使未曾見過《孟子》，然而他們對有關孟子的思想、爲人、生平方面的知識應仍相當豐富。

迄至平安時代（七九四～一一八五），其研究《孟子》的人更多，成果也較前一時代更爲輝煌。當我們查閱日本古代至其編輯《日本國見在書目錄》爲止之從中國輸入的文獻時，雖無法從《古語拾遺》（八〇七）、《新撰姓氏錄》（八一五）、《凌雲集》（八一五）、《文華秀麗集》（八一七）發現有關《孟子》的資料，卻可從釋空海的《文鏡秘府論》看出其曾經閱讀《孟子》，並予引用之情形。他在該書裏說：

〇夫子演《易》，極思於〈繫辭〉，言句簡易，體是詩骨。夫子傳於游、夏，夏傳於荀卿、孟軻，方有四言、五言，効古而作。荀、孟傳於司馬遷，遷傳於賈誼，誼謫居長沙，遂不得志。②

〇日臨、月臨，雲行雨施，皷之以電雹，潤之以雷雨；油然作雲，沛然下雨，煦和氣以臨民。③

在此值得注意的是，中國人同時提及孟軻與荀卿時，通常都把孟子置前，荀子在後而稱爲孟荀，但空海卻先言荀子而次及孟子，此是否說明當時的日本人士對孟子的評價與中國人有所不同，抑或《孟子》、《荀子》在文藝作品上後者較受重視？④至於「油然作雲，沛然下雨」之句，應是《孟子》〈梁惠王篇〉所記載，孟子見梁惠王之子襄王出來以後告訴他人的話。帝王施仁政於民，同甘霖之於枯苗，枯苗浡然復活，和人民欣然而往，都是自然現象，無法抑制。因此可說，仁至則欲之成分減消，爲私之心退；情之成分增長，爲公之心進，是爲誠。誠則同情心純，心純用之於政，則視人之饑如己饑，視人之溺如己溺，以不忍之心，行不忍之政，其負責之至，則得仁政。⑤

由上舉兩段文字可知，空海不僅已完全瞭解《孟子》本義，而且能夠將它運用裕如。

就以藤原佐世於寬平年間（八九一～八九七），奉其宇多天皇之命編纂之《日本國見在書目錄》觀之，因它記載著：

孟子　十四齊卿孟軻撰趙岐注
　　　七陸善卿注（廿四　儒家）

可見在九世紀末以前，已有趙岐注及陸善經注兩種版本《孟子》東傳彼邦。雖然如此，在那以後並未發現彼邦人士研讀趙岐注《孟子》的紀錄。就以有「博聞強記，淹貫經史」之譽的大江維時（八八七～九六三），及具平親王（九六四～一〇〇九）而言，前者雖曾以文章博士身分累官至中納言⑥，且曾著有《千歲佳句》一卷及《養生抄》三卷，但並無研閱《孟子》的紀錄。後者則僅在其《口訣外典抄》（九七〇）著錄「趙岐注《孟子》十四卷」而並無研讀它的記載。即使以位極人臣而又是當時罕見的藏書家而有「日本第一大學生」⑦之令譽的藤原道長（九六六～一〇二七）言之，有關他所閱讀的圖書或藏書裏，也無法發現與《孟子》有直接關係的記載，直到源師時（一〇七七～一一三六）的日記——《長秋記》（史料大成本）天承元年（一一三一）正月條纔有：

孟子曰：「薦舜於天而受之，民愛之」。舜，天人所受，故得天下。曰：「祭百神享之」，是天受之，治百世安之，民受之也。

之一段文字而已，因此，《孟子》東傳日本的時間雖至遲在《日本國見在書目錄》完成的寬平年間（八九〇年代），但如從其《日本書紀》（七二〇）之有不少《孟子》文句觀之，則其東傳年代實可從《日本國見在書目錄》更上溯一百餘年之前。

三、中世禪林的《孟子》研究

如前文所說，日僧辨圓圓爾於宋代來華留學東歸時，曾經帶回許多漢籍，而釋大道一以曾整理那些圖書編《普門院經論章疏儒書等目錄》一冊。此《目錄》錄列三百三十九部一千餘卷之圖書，那些圖書之大部分固爲佛教經典，但儒家經典、子書所佔分量亦不少，而文集、醫書、藥書、類書、法帖之類的圖書亦包含其中。那些書目中值得我們注意的就是《易集解》（《周易經傳集解》）、《呂氏詩記》（《呂氏家塾讀詩記》）、胡文定《春秋解》（《春秋傳》）、晦菴《大學》、晦菴《大學或問》、《無垢先生中庸說》、晦菴《中庸或問》、《論語直解》、《論語精義》、《孟子精義》、《晦菴集註孟子》等，可見朱註《四書》在十三世紀中葉已東傳日本。

辨圓圓爾雖帶回宋儒新註的《四書》，但他對這些儒家經典究竟有甚麼研究心得，我們卻不得而知。就《孟子》而言，亦僅在其《語錄》——《聖一國師語錄》中言：

高超十地，不歷僧祇，物我一如，身心平等。不與萬法爲侶，不與千聖同途。⑧

其語意有類《孟子》而並無關於他對《孟子》所作研究之進一步的記載；此是否意味在宋儒新說剛成

立之初，他對此一新興學問尚不太瞭解？此一問題實有待日後作進一步的探討。當時把宋儒新說東傳日本，並使之發展者，東渡華僧之功不可沒。其較著名者有南宋末年東渡的蘭溪道隆、兀庵普寧、大休正念、無學祖元、鏡堂覺圓諸人，及元初東渡的一山一寧、石梁仁恭、東明慧日、靈山道隱、西僩子曇、明極楚俊、竺仙梵僊、東陵永璵等。由於這些華僧不僅有高深的佛學修養，而且在儒學方面的造詣也極深，故其對日本儒學界所造成的影響也極大。就蘭溪道隆而言，他曾說：

> 理天下之大事，非剛大之氣則不足以當之。要明佛祖一大事因緣，須是剛大之氣始可承當。今尊官與教化，安社稷，息干戈，清海宇，此莫不以此剛大之氣定千載之昇平，云云。⑨

理爲軌道，氣爲動力，力順軌進行，是爲道之大用。人無氣不生，道無氣不行，北宮黝、孟施舍之養氣，在行其勇，孟子善養其浩然之氣，在行大道。⑩勇氣之氣，與浩然之氣，其性質雖然相同，卻有其相異處，此即如馮友蘭在其〈新原道〉所說：

> 浩然者大也，其所以大者何？孟施舍等所守之氣，是關於人與人底關係者；而浩然之氣，則是關於人與宇宙底關係者。有孟施舍等的氣，則可堂堂立於社會間而無懼；有浩然之氣，則可堂堂立於宇宙而無懼。

因此，孟子方纔說：

> 其爲氣也，至大至剛，以直養而無害，則塞於天地之間。⑪

「至大」，故沒有限量，「至剛」，故不可屈撓。以直（義）道好好的蓄養它。蓋天地之正氣，而人得以生者，其體段本如是。惟其自反而縮，則得其所養，而又無所作爲以害之，則其本體不虧，而充塞無間矣！⑫又，浩然之氣，由集義而生，不能勉強，亦不得襲取；求之之道，必須誠，如「必有事焉」，行之有恆，不必預期功效（勿正），不可中道遺忘（勿忘），然亦宜另用工夫，巧取捷徑（勿助），否則必如宋人之揠苗，反而有害。⑬因此，孟子方纔說：

> 其爲氣也，配義與道，無是餒也；是集義所生者，非義襲而取之也。行有不慊於心，則餒矣！⑭

亦即浩然之氣，養而無害，則塞乎天地；一爲私意所蔽，則欿然而餒。因此，浩然之氣，須於心得其正時識取，人能養成此氣，則其氣合乎道義而爲之助，使其行之勇決，無所疑憚。若無此氣，則其一時所爲，雖未必不出於道義，然其體有所不充，則亦不免於疑懼，而不足以有爲。⑮而前舉蘭溪道隆所謂「理天下之大事，非剛大之氣，則不足以當之」，即根據《孟子》〈公孫丑篇〉所記載「浩然之氣」而發之言。他以爲：不僅爲人君者須有至大至剛之氣，始足以當之，身爲佛徒者，要明佛祖一大事因緣，亦須是至大之氣始可充當。因此可說，蘭溪已充分體會了《孟子》奧義，且將它運用於其布道方面。

就日僧而言，宗峰妙超⑯、雪村友梅⑰、夢窗疎石⑱、虎關師鍊等初期名僧也都曾經接觸過《孟子》，而其最早正式研究《孟子》者則爲虎關。如本書首篇所說，虎關曾被譽爲：

> 微達聖域，度越古人。強記精知，且善著述。凡吾西方經籍五千餘軸，莫不究達其奧，置之勿

論。其餘上從虞、夏、商、周，下逮漢、魏、唐、宋，乃究其典謨、訓詁、矢命之書；通其風、賦、比、興、雅、頌之詩。以一字褒貶，考百王之通典。就六爻貞悔，參三才之玄根。明堂之說，封禪之儀，移風易俗之樂，應答接問之論，以至子思、孟軻、荀卿、楊（揚）雄、王通之編；旁入老、列、莊、騷、班固、范曄、太史紀傳；三國及南北八代之史；隋、唐以降，五代、趙宋之紀傳；乃復曹、謝、李、杜、韓、柳、歐陽、三蘇、司馬光、黃、陳、晁、張、江西之宗，伊洛之學，……可謂座下於斯文不羞古矣。⑲

此乃中巖圓月致虎關之尺牘，稱讚他於經、史、子、集，無所不通，其學涵蓋宋代以前的中國名儒。此固難免言過其實，但其學問之淵博，實難予以否認。

虎關的學問既如此淵博，那麼他對《孟子》的研究情形如何？其在此一方面最能引人注意的就是〈瞽瞍殺人論〉。該〈論〉曰：

《孟子》：桃應問曰：「舜爲天子，皋陶爲士，瞽瞍殺人則如何」？孟子曰：「執之而已矣」！「然則舜不禁與」？曰：「夫舜惡得而禁之，夫有所受之也」。「然則舜如之何」？曰：「舜視棄天下，猶棄敝蹤也。竊負而逃，遵海濱而處，終身訢然，樂而忘天下」。予曰：「美矣哉！同乎惜哉！答之不盡乎，請嘗試論之。孟子只言法而不言道矣！言介而不言治矣！皋陶之執之，與舜之不禁者法也；舜之敝蹤天下，竊負逃樂者介也。介與法者，豈聖人之本乎哉？故曰：非至道治德矣」！

又曰：夫道者法之本也，法者道之枝也，世寧有傷本而保枝之理乎哉！孟子只知舜之棄天下之無欲，而不知棄天下之不仁矣！何也？舜之爲君也，民被仁焉，舜之外也，民受害焉。無欲者一身之介也，不仁者天下之害也，孟子曷崇巢由之介，而不崇堯舜之治焉；重申、商之法，而不重唐、虞之道焉乎哉！又，夫五常之中，孝入仁，法入義，不得已而錯一，寧缺義而不可失仁矣，輕重之分也。舜之爲君也，有道之世也。有道之世，道必正焉。道之正也，五常有定焉。五常之定也，仁先義後，先孝後法，何悖之有？君子手腕，自有知權識衡，義錙理銖，焉庾重輕乎？

更曰：或曰：「然則子意如何」？曰：「舜爲天子，皐陶爲士，瞽瞍殺人，則如之何」？曰：「執之而已矣」！「然則舜如之何」？曰：「舜馳而乞，皐陶敬而授，如茲而已。夫舜雖聖子也，皐陶雖賢臣也，瞽瞍雖頑父也，君臣父子者天下之大常也。皐陶之執之者法也，舜之馳而乞者孝也，敬而授者順也。天下之理，常而順者也」。曰：「舜、皐陶不枉法邪」？曰：「爾，不免罪焉」。曰：「舜，大聖也；皐陶，大賢也。聖賢、大德，善贖罪焉，枉不輕矣」！曰：「舜之乞者孝也，皐陶之授者敬也。孝敬二德，善贖枉焉，瞽叟有德乎」？曰：「有。何也？生舜大德，善贖殺焉」。[20]

誠如井上順理所說，虎關師錬認爲《孟子》〈盡心篇〉所記載的此一言論意猶未盡，而批判之曰：

孟子只言法而不言道矣，言介而不言治矣！介之與法者豈聖人之本乎哉！故曰：「非至道至治矣」！夫道者法之本也，法者道之末也，世寧有傷本而保枝之理乎哉？㉑

而非難孟子的態度之不夠老練。並且說：

余反復孟子之言也，七篇之中多言道矣，特此章先法後道者蓋有激乎！㉒

我們姑且不論虎關的此一批判是否得當，或他究竟根據舊註或新註發此言，但他曾經仔細讀過《孟子》，則殆無疑問。虎關的〈瞽瞍論〉之內容雖如前文所述，但華僧無學祖元的再傳弟子夢巖祖應亦曾作〈瞽瞍論〉一篇，以批判虎關之〈瞽瞍論〉的言詞是抽象的、片面的，未能把握孟子之眞意。因爲：

觀夫軻書七篇，其隨時因人高下其言而要其歸，只是道性善而稱堯舜也而矣！而其中能說聖人用心之極致，得親切著明者，莫善於焉。

對此一問題，宗峰妙超曰：

禪宗手段如何？以虛僞示眞實。儒云：「聖人有虛言否」？（宗峰）師云：「有」。云：「既是聖人，有甚虛言」？師云：「不見《孟子》有之：象謂已殺舜了。而入宮見舜在床琴。舜見象來而喜，豈不是虛僞」？其間激揚鏗鏘，問答罷，儒卻問師云：「畢竟如何決斷此義去也」？師云：「舜卻殺象了也」。諸儒皆稽顙而執弟子禮，就中洗心子入室參禪不淺，云云。㉓

孟子弟子萬章曾就舜之心事而問曰：「不識舜不知象之將殺己與」？孟子曰：「舜而不知也，象憂亦憂，象喜亦喜」。宗峰即利用此一故寔將它作禪的解釋，認爲以虛僞來表示眞實，方便於教化，故乃斷其結果而言：「舜卻殺象了也」。其故可能在於欲殺惡心之象，而使之復甦成爲善心之象。其言雖似與孟子之意有出入，但畢竟同歸於一，故由此可見活殺自在之手腕。㉔宗峰又曰：

安國利民，齊伊、周之古術；乃忠乃孝，稱思、軻之正範。㉕

伊尹、周公乃孟子尊爲聖人者，子思、孟軻則是程、朱等人奉爲孔門正統之人物。孝子之至，莫大乎尊親，尊親之至，莫大乎以天下養；爲天下父，乃尊之至，以天下養，則爲養之至。㉖因思、孟兩人皆能尊親，故宗峰乃以之爲忠孝之模範。

虎關雖對孟子作如上述之批判，但也曾經稱讚其爲善教者，且引《孟子》〈梁惠王篇〉所記載齊宣王問齊桓、晉文之事的一段文字，而稱美其爲善教者曰：

齊宣王問孟子：「齊桓、晉文之事可得聞乎」？孟子對曰：「未聞也」。後宣王見於雪宮，孟子引晏子語景公事告之，宣王大悅。嗚呼！孟子可謂善教者矣夫。蓋孟子始見宣王，未知宣王霸才，故先欲進王業，佯曰：「桓文事未聞也」。孟子豈不知桓文事哉！庶或引王入王域，故曰「未聞也」。漸見宣王無王才，不得已，雪宮宴引晏子言教宣王。孟子之於宣王厚矣乎，臣之思君之深未有也。夫仲尼徒，無道桓文事，寧下景公乎？況晏子乎！然宣王之不才也，不忍棄，猶引晏子言教之。然則大賢之教，救世、思君如孟子者鮮矣！爲人師者，可不爲軌軌格乎？曰：「商君之於秦孝也，先說帝王，後宣霸業，與孟子同」。曰：「不然。孟子者正也，商君者譎也，論人言正譎，不言詞辯矣」！㉗

虎關雖認爲「大賢之教，救世、思君者如孟子者鮮矣！爲人師者可不爲執軌格乎」？但他卻又引〈梁惠王篇〉孟子答宣王的問話，言其可以保民之言以批判孟子曰：

齊王以羊易牛，孟子以爲仁術，蓋君子之心，忍其未見，不能忍其見也。予謂：「孟子之論未盡矣！夫人君之行刑也有司存焉，豈躬自之乎？若以不見恣刑，我懼其濫焉，韓子醇乎之言恐未也」。曰：「然則何如」？曰：「以小大可也，蓋小大者朝廷官爵之次也。若如予言，君子之刑庶或愼之，又有差而無濫焉。孟子之見未見者雖爲仁端，其弊猶濫矣。予之小大者，有仁而無濫矣」！㉘

而其見解與孟子所言者有所不同。其所以導致此一差異的原因，可能在於中日兩國之風土、人情不同。「不忍」之心，譬如「良知」，爲人之天性，知而爲之；譬如「良能」，原應如「惡惡臭，好好色」。宣王有不忍之心，孟子許其可以王，而「心有戚戚焉」。孟子因勢乃又勉其推恩而爲之。譬如人力足以舉百鈞之重，而不以舉一羽之輕；明足以察秋毫之末，而不見輿薪之大。又如恩足以及禽獸，而功不至於保百姓；是不爲，非不能也。

虎關對《孟子》的看法雖有褒有貶，但其見解卻有他獨到之處。

儒家以仁爲道之本，忠恕如其動脈，故謂「忠恕違道不遠」。欲求於人者，先盡之在己，不願於人者，亦勿施於人。因此，齊家之道，在善推此仁心。孟子以人人親其親，長其長，其事在邇，爲之甚易，不必求諸遠而視爲難。仁既爲道之體，孟子乃謂：「仁之實，事親是也」。㉙義爲基於仁「得宜」之行爲，孟子又謂：「義之實，從兄是也」。㉚子對父行仁爲孝，弟對兄守禮義爲悌，此爲爲人之本，本立而道生。有子曰：

其爲人也孝弟，而好犯上者鮮矣；不好犯上，而好作亂者未之有也。君子務本，本立而道生，孝弟也者，其爲仁之本與。㉛

人得孝悌之本，出以事公卿，入以事父兄，臨喪，勉以行之，生活求有節度；以仁存心，行而得宜、適度，得禮義之正，齊家便不再困難。㉜所以東沼周曮乃在其《流水集》〈說夢〉中言：

夫堯舜之道，孝弟而已。夫堯舜之道，如天之無所不覆，如地之無所不載，……而孟軻稱之曰孝弟，何哉？蓋人道莫先乎孝弟，堯舜之所以堯舜，惟此而已。

東沼此言當係根據《孟子》〈告子篇〉而發，至其在〈嘉邦說〉中所言：

天地之間，何物最大？仁而已。前乎千萬世之既往，後乎千萬世之方來，而仁與之相爲終始。……堯、舜以仁帝天下，禹、湯、文、武以仁王天下。

亦當係根據《孟子》而立說。㉝

當時的五山禪僧研究《孟子》之情形有如前文所述。他們除自己研讀儒家的此一經典外，也曾勸幕府將軍研讀它。例如義堂周信在其日記《空華日用工夫略集》所說：

○余又勸君（室町幕府第三任將軍足利義滿）曰：「儒書中宜讀《孟子》」，府君領之。㉞

○君問《孟子》書中數件事。余說儒釋同異差別。㉟

○府君又問《孟子》所記載有關伯夷、伊尹、柳下惠、清和任〔任和〕、孔子集大成者等事，余略答之。㊱

○君問《孟子》書中疑處，孟子聖人百世師、柳下惠等事。余引《孟子》倪氏集註而詳說之。君喜曰：「吾疑泮然」。又曰：「昨日聽《孟子》既畢」。㊲

此一事實說明了當時的日本禪僧不僅自己閱讀《孟子》，也還勸幕府將軍讀它，而且他們所閱讀的，除宋儒新註之《孟子》外，也還兼讀倪士毅之《四書集釋》。

日本五山禪僧閱讀《孟子》的情形既如此，那麼他們對該書的運用情形又如何？下文擬對此一方面的問題作一番探討。

四、五山禪僧對《孟子》的運用

前文已說夢巖祖應曾著〈瞽瞍殺人論〉，㊳以駁虎關師錬批判孟子之言有未盡處。並且說：「孔子之後有孟子，先儒之言不誣矣」！㊴更論經權相須以弘道曰：

觀夫軻書七篇，其隨時因人高下其言，要其歸，只是道性善而稱堯舜也而已矣！㊵

可見夢巖對《孟子》有相當之理解。職是之故，其有關儒的言論多來自《孟子》。曰：

夫人也，不知愛其類，又朝死而夕忘，鳥獸草木之不若者或有焉，則群居必亂。於是乎有聖人者出，率其固有之性情，以覺斯民，此世俗民教之所以起也。㊶

此乃根據孟子性善說而立之之言。

仁者以其所愛及其所不愛，不仁者以其所不愛及其所愛；孟子以梁惠王驅民以戰爲例，蓋其缺乏不忍人之心也。「仁」欲得其正，則善持此不忍人之心。人對人由不忍而生惻隱、羞惡、辭讓、是非等情，以發仁義禮智之端。人有此四端，猶其有四體；擴而充之，近可事父母，遠足保四海，行之於政，治天下如運之掌上矣。㊷

仁義之政，在主其事者，推其同情心於民；愛人者，人恆愛之，爲上者能恤民，則民親其上而死其長。人以「明德」臨政，以至善待衆人，衡以誠，能動人，能化人之義，則雖無爲而四方百姓歸之而有如衆星之拱北辰。㊸對此一問題，夢巖曾說：

惟君務國本，國本在民天。天高不可測，方寸爲之權。感格從正誠，探物懷袖間。三才一以貫，王道理又玄。㊹

此言王道在得民心天意，而其本在於身正。此乃根據孟子之王道論而立說。

夢巖之尊崇孟子，蓋得自宋學，而其釋性爲「人之生而靜者」，又言「人之稟氣有清濁，故其言之工拙隨焉」。可見他始終浸淫於朱子學說之領域裏。他曾述及儒釋一致云：

夫天機秀發者，如孟軻曰：「我善養吾浩然之氣，塞天地之間」。聖明間出，躬行太平之治化，則和氣薰蒸。著見于事物之間者，景星卿雲，天之瑞也；醴泉三秀，地之瑞也；文行忠信，人之瑞也；奴隸知其所以然也。然則孟子之言益信，然雖吾佛祖益爾。水邊林下，長養聖胎，霜露

果熟，機成感至，則於一毛端，現寶王刹坐微塵裏，轉大法輪，此亦我心之常分，非假他術，云云。㊺

夢巖此言，係將孟子之養浩然之氣，與禪之聖胎長養視如無別不二，而以儒爲心性者。因此，他認爲歐陽修之所以排佛，乃不瞭解孔孟之精髓所致。其詠〈歐陽修〉詩曰：

果果日星鄒魯書，一言未見斥浮圖。不師孔孟師韓子，畢竟先生非聖徒。㊻

皇祖有訓：「民可近，不可下；民爲邦本，本固邦寧」。㊼君民雖有尊卑之分，要須相得以生。因爲君近民則親以合，否則疎以離；且民者國之本，民安，則本固而邦寧。國以民爲本，政爲民而設。因此，孟子說：「民爲貴，社稷次之，君爲輕」。㊽而夢巖在此所說之話，可謂已完全領略孟子旨意。而他在前舉〈瞽瞍殺人論〉裏，不僅同意孟子的觀點，而且稱美他。

夢巖以後對《孟子》之造詣較深者當首推中巖圓月。中巖別號中正子。他曾敷衍《孟子》旨意作〈仁義篇〉曰：

或問仁義。中正子曰：「仁義而已矣」！曰：「毋以尚乎」？曰：「何尚之有」？子曰：「墨翟之仁而可尚之」。問：「何尚」？曰：「義，楊朱之義而可尚之」。問：「何尚」？曰：「仁」。子曰：「啤啤之仁，可謂仁乎？小仁也哉！瑣瑣之義，可謂義乎？小義也哉！聖人之道，大也，仁義而已矣，何尚之爲？惟仁義之道大矣哉」！

仁發於心，形於外，在心內爲仁，形於外者爲行爲，亦稱義。上舉中巖之言，即對此仁義問題而發。

仁者，人對人眞情之感，人心有眞情，依其「分界」對人，然後得禮之正；反之，心無眞情，強以對人，如巧言令色，是虛僞，既不仁，又無禮。所以中巖又說：

楊朱以離仁爲義。人而無仁，何以能生？墨翟以離義爲仁，人而無義，何以能成？無仁則非人也，無義則非人也。有仁而生，生而必亨；有義而成，成而必貞，譬如天有春秋，冬而成期耳。中正子曰：「元者生乎仁，故曰善之長也；亨者其禮哉！嘉之會也。利者成乎義，故曰義之和也；貞者其信哉，事之幹也」。子曰：「春元，夏亨，秋利，冬貞，天之行也。仁以生，禮以明，義以成，信以誠，人之行也。仁也者天生之性，親也，孝也，親也；義也者人倫之情也，宜也，尊也，忠也，君也，忠孝之移以仁義相推耳，名異而實一也」。

由此觀之，中巖是以仁爲「天生之性」，義爲「人倫之情」。所以他認爲楊朱爲我，故其義非義；墨翟無親，故其仁非仁。楊墨之道不能推而移，因此仁義離之者，臣弑君，子弑父，權輿乎楊墨。他更說：

或者曰：「孟子曰何必曰利。而子謂元仁亨利義貞信，以利爲義，何其與孟子相反之爲？子曰孟子惡乎惡利，惡乎梁惠王所以爲利之利而已。利者義之和也，宜也，通也，之利孟子寧合諸？敢問惠王之利何如」？曰：「財用功澤之利，孟子不取爾。誠王侯、卿大夫、士庶人交征利，則國家之危不待終日，亦何利之有，孟子不取也宜矣」！孟子曰：「未有仁而遺其親者也，未有義而後其君者也」。義者，宜也，天下行宜，不亦利乎。

此乃敷衍孟子與梁惠王之一段談話而立說，亦即根據孟子對梁惠王所說的第一句話「何必曰利」來發揮，並說出他對此一事情的見解云：

中正子曰：「凡天下之事，靡不有弊，仁之弊也無威，義之弊也無慈。無威則教導驟之，無慈則化育夷之，教導之。驟何以治之，化育之夷，何以尼之，教而不治，義不之爲也；化而不尼，仁不之施也。教化之張，仁義之行也；教化之弛，仁義之弊也。或問楊墨而論孰賢，曰：墨子哉，孟堅之書，取之九流，有由矣夫」。

這段文字是巧妙的把孟子之仁義論附會於教育論之機微。「仁」是愛人，愛人便不利征（取）。「義」是正誼，正誼便不亂取。所以尊利而國亂，重仁義而國治。惟有教化能夠伸張，仁義才能夠行。教化如果鬆懈，仁義便無所實施。

天以性賦人。性之內涵有「欲」與「情」。人生遇有不足而產生欲望，良知辨所需之物，良能動而取之。既得之，則己之欲望已達到，是成己。他人同樣有欲望，我以同類相感而對其生情，是爲同情心。既同情之，則以自己之所成施之，這是施予、成物。因此，欲是爲自己，情則爲對人。㊾就此性、情問題，中巖曾著〈性情篇〉㊿，以說明他對此一方面的問題之看法。他認爲人之性情，猶天之四時，而孔子、子思所言之性，不僅不與釋教相睽，而且與佛相爲表裏，而性情之論，如合雙璧然。因此他說孟子之言性善，荀子之言性惡，楊子之以善惡相混爲性之說法，都是舍本逐末。所謂性，不外乎是情，而性之本，靜而已。他說：

靈故有覺，覺故有知，知感於物。感則動，動則欲，欲不可量也。欲而得之則喜，喜則心平，心平則善也。欲而不得，則怒，怒而無度，則暴惡也。一喜一怒，可以善，可以惡者情之混，韓子所言中焉者是也，但非性也。性也者非善，非惡，非混，善者惡者，善惡混者，皆情也，性之末也，性之本靜而已。

職此之故，孟子之言性善，荀子之言性惡，楊子之言性善惡相混者皆非，其所以有此似是而非的言論之原因在於他們是在佛教東傳中國以前所說者，故其言有偏失。不過韓昌黎則生在佛教東傳之後，所以他應知孔子、子思之道與釋教互爲表裏而猶佞佛，其〈原性〉之言未能無誤。所以又說：

之三子者，不見正於佛教，故誤也宜矣！然其不稽之孔子、子思之教則失也。但韓子出乎佛教之後，當見正於佛教，當知孔子之道與佛教相爲表裏者也。然獨區區別之，甚哉！韓子舍本而取末，與孔子、子思之道相遠也如此，甚矣哉！

欲之成分高，則自私；情之成分高，則爲公。人之欲大於情，性則趨惡；情大於欲，性則爲善。欲等於情則爲中，性無善無惡。欲望適當，情亦眞摯（誠），迨爲環境所移，乃生距離。⑸①爲彌補此種缺陷，便只有：

節情復性而已。凡人之情欲，無窮於物而至暴惡，故聖人欲使節其情欲而復其天性而已。……仁義孝弟忠信能養乎心，而禁其情而不節者也。

由於性之本體爲適當之欲與眞摯之情，適當之欲加眞情爲天性，而此天性即明德。明德之擴大——情高於欲，以至情克欲，則達至善。而《大學》、《中庸》爲率此天性，秉其良知，以明明德，發其良能以親民，而止於至善。故上舉中巖的性情論，不僅根據孟子之言立說，也是根據朱子之仁體義用說而來。

就「性」而言，橫川景三也曾言：

《中庸》曰：「仁者，人也」。程氏曰：「仁者，性也」。予曰：「性也者，人之大本也」。人得其大本，則雖十桀紂在上，而不能亂也。失其大本，則雖十堯舜在上，而不能治也。嘗試論之：孟子之言性，性善；荀子之言性，性惡；楊子之言性，性善惡混；韓文公作〈原性〉，以折三子。其言曰：「性者，與生俱生也。其爲性者五：曰仁，曰義，曰禮，曰信，曰智，主於一而行於四，一者謂仁也」。后王荊公又作〈原性論〉，其所以異於韓與三子者，其言曰：「性者，五常之太極也」。《魯論》曰：「……儒家者之言性與仁也，盡於此矣」！(52)

中巖圓月與橫川景三兩人對孟子性善說的看法雖如此，但五山禪僧裏並非無同意孟子之見解者。而其言與中巖相似。

就虎關師錬之門人龍泉冷淬而言，他即曾作〈辨性論〉肯定孟子之性善說，揚雄之性善惡混合說，及韓昌黎之性三品說，認爲荀、揚、韓三子之所以作如此主張的原因在於他們未能加以深究之故。因此，他在該〈論〉中以食柿爲例，來論述此一觀點曰：

食夫柿也，初而澁也，中而或澁焉，或甜焉也，終而後也甜焉而已耳。見其初者，謂之澁矣，

> 見其中者，謂之甜澁混矣，見其終者，謂之甜矣！見其品者，謂之三矣！謂之甜者，極柿之性者也，而孟子獨爲得也。謂澁之混之三之者，知柿之粗者也。而三子者，互競一說耳。故夫子之性習近遠之說，則不曰柿之性果有甜澁之變乎，此異說之所以由起也。是故三子者，一者知柿之惡而未知其善者也。一者知善惡混，而一者又三品之者，且未知其善者也，皆出于不原其性之局情矣！

又曰：

> 故夫柿有三見，而遂復于一耳。孟子之性善，於焉而止矣！然三子者不曉惟一，謾計所値，粗取偏味，以不相通，則惡知澁也，混也，則甜而極也。古曰：「人莫不飲食也，鮮能知味也」。夫三子之謂歟？(53)

我們姑且不論龍泉泠淬的此一說法是否中肯，但其譬喻之巧妙，實不得不令人讚佩。

就「仁」而言，儒家哲學之中心爲仁。仁爲人與人之同情心，爲儒家之明德，爲儒道之體。仁之用爲推己及人，己所欲於人，則盡己以對人——忠；己所不欲於人，則不施之於人——恕。而仁之推己及人，乃盡己對人——忠，克己待人——恕。因此，仁爲人之對人，忠爲人對人之積極行爲，彼此之關係屬於相對待。恕則爲人對人之消極行爲，彼此關係亦屬相對待。孟子曰：

> 君子所以異於人者，以其存心也。君子以仁存心，以禮存心。仁者愛人，有禮者敬人。愛人者人恆愛之，敬人者人恆敬之。(54)

仁至則欲之成分減消，爲私之心退；情之成分增長，爲公之心進；是爲誠。誠則同情心純，心純用之於政，則視人之饑如己饑，視人之溺如己溺，㊺而有不忍人之心。人有不忍人之心，便可從而生惻隱、羞惡、辭讓、是非等情，以發仁、義、禮、智之端。人有此四端，猶其有四體，擴而充之，近可事父母，遠足保四海，行之於政，治天下如運之掌上矣。孟子又曰：

人皆有不忍人之心。先王有不忍人之心，斯有不忍人之政矣。以不忍人之心，行不忍人之政，治天下可運之掌上。所以謂人皆有不忍人之心者：今人乍見孺子將入於井，皆有怵惕惻隱之心，非所以內交於孺子之父母也，非所以要譽於鄉黨朋友也，非惡其聲而然也。由是觀之，無惻隱之心，非人也；無羞惡之心，非人也；無辭讓之心，非人也；無是非之心，非人也。惻隱之心，仁之端也；羞惡之心，義之端也；辭讓之心，禮之端也；是非之心，智之端也。人之有是四端，猶其有四體也。㊻

對此一問題，天隱龍澤曾曰：

西方聖人之說性者，東家夫子之言仁者，名異理同。㊼

而認爲佛家所言之性，與儒家所言之仁相同。並且將孟子的此一說法用之於其弘揚佛教方面曰：

儒者韓退之曰：「博愛之謂仁」。程子曰：「仁者覺也，非博愛也」。樊遲問仁，夫子曰：「愛人」。然則韓氏博愛之言舍諸？孟軻曰：「見孺子將入於井中，皆有惻隱之心」。其惻隱之心，仁之端也，豈非博愛亦仁之端乎？覺亦仁之端也，非仁也。㊽

由此看來，天隱不僅將《孟子》〈公孫丑篇〉所記載的孟子之言巧妙的運用在布教方面，更能將他對仁字的見解說出來。

以上所舉者雖僅是衆多五山禪僧對《孟子》研究之若干例子，卻可由此得知，那些禪僧對此一儒家經典確曾下過不少苦功，否則便無法將其內容自由自在的運用於其布道方面了。

五、結　語

前文曾就日本古代的《孟子》研究，中世禪林的《孟子》研究，及日本五山禪僧對《孟子》的運用情形作一番考察。由此得知，即使《孟子》一書在《日本國見在書目錄》完成以前的九世紀九十年代尚未東傳彼邦，日本的貴族階級——統治階級仍可經由其他儒書、史書或類書所記載、引用之文字得悉有關孟子的知識。迄至鎌倉、室町時代，當宋代的新儒學隨著禪宗東傳日本以後，禪僧們在漢文學方面的成就終於超越了平安貴族之以漢唐古註爲中心的漢學研究，而有輝煌的成就。

宋儒新註的《孟子》七篇東傳日本以後，容或有人對孟子的學說持批判的態度，但彼邦之有不少人士研究此一儒家經典，卻是不爭之事實。而他們之《孟子》研究，不但像研究儒家的其他經典一樣，能作深入探討，也仍能將其運用於布道、傳教方面。更有進者，當他們作應酬性文章時，也仍能引用《孟子》以酬對。例如：

崇善主翁一日延余丈室，謂曰：「我有徒名舜，請爲之立字」。余便書善室二字與之。翁喜曰：「

孟軻不謂乎，雞鳴而起，孜孜爲善者，舜之徒也」。《魯論》不謂乎，……崇善所謂善，善之大者邪？孔、孟所謂善，善之小者邪？舜也，所爲如何也？若論那一著子，則不思善，不思惡。翁之所自知，而非孔、孟之所得知也。59

又如：

孟子曰：「天之生斯民也，使先覺覺後覺」。是伊尹之任，而吾釋氏自覺之他之說也。……取其字。雖據於孟氏而副其諱，則原之於永嘉。60

可見他們非但對《孟子》有深切瞭解，而且能夠將其應用自如。故他們對此書所下苦功，實不難想像。

〔註釋〕

①：花園天皇，《日記》，元亨元年（一三二一）三月二十四日條。
②：空海，《文鏡秘府論》，卷四，〈論文意〉（《弘法大師全集》，第八卷，頁九三）。
③：空海，《文鏡秘府論》，卷六，〈敘政化恩澤〉（同上，頁一九六）。
④：參看井上順理，《本邦中世までにおける孟子受容の研究》（東京，風間書房，昭和四十七年五月），頁一六九。
⑤：陳式銳，《唯人哲學》（廈門，立人書報社，民國三十八年一月），頁一九。
⑥：日本律令制度所規定之外的官職，設於七〇五年。職司代呈奏疏，傳達詔勅等。其官位爲正四位上，封戶二〇〇。其員額在一〇一五年時爲八名，鎌倉時代（一一八五～一三三三）則在八至十名之間。

⑦：近衛道嗣，《愚管抄》（又名《後深心院關白記》），第四，崇德天皇條。

⑧：辨圓圓爾，《聖一國師語錄》（《大正新脩大藏經》，卷八〇）〈住東福禪師語錄〉，頁一八，上。

⑨：蘭溪道隆，《大覺禪師語錄》，上，〈常樂寺語錄〉。

⑩：陳式銳，《唯人哲學》，頁四二～四三。

⑪：《孟子》〈公孫丑篇〉。

⑫：蔣伯潛，《語譯廣解四書讀本·孟子》（臺北，啓明書局，出版年不詳），頁六七。

⑬：陳式銳，《唯人哲學》，頁四三。

⑭：《孟子》〈公孫丑篇〉。

⑮：蔣伯潛，《語譯廣解四書讀本·孟子》，頁六七～六八。

⑯：《大燈國師行狀》（《續群書類從》，卷二三〇，第九輯，下，頁四一三）。

⑰：雪村友梅，《岷峨集》（《五山文學全集》，第一輯，下），〈和陳良臣贈詠竹之贈二篇〉，頁二一七。

⑱：夢窗疎石，《語錄》（《大正新脩大藏經》，卷八〇），頁四三八，上。

⑲：中巖圓月，《東海一漚集》，卷三，〈與虎關和尚〉。

⑳：虎關師錬，《濟北集》，卷一五，〈論〉，三，〈瞽叟殺人論〉。

㉑：虎關師錬，《濟北集》，卷一九，〈通衡之四〉。

㉒：同前註。

㉓：宗峰妙超，《語錄》，卷上，〈大德寺開堂法語〉。
㉔：足利衍述，《鎌倉室町時代之儒教》（東京，有明書房，昭和四十五年五月），頁二三七。
㉕：同註二三。
㉖：《孟子》〈萬章篇〉。
㉗：同註二二。
㉘：同前註。
㉙：《孟子》〈離婁篇〉云：「孟子曰：『仁之實，事親也；義之實，從凡是也』。」
㉚：同前註。
㉛：《論語》〈學而篇〉。
㉜：陳式鋭，《唯人哲學》，頁九五。
㉝：參看芳賀幸四郎，《中世禪林の學問および文學に關する研究》（京都，思文閣，昭和五十六年十月），頁一三七。
㉞：義堂周信，《空華日用工夫略集》（東京，太洋社，昭和十四年四月），康曆二年（一三八〇）十一月六日條。
㉟：義堂周信，前舉書永德元年（一三八一）九月二十七日條。
㊱：義堂周信，前舉書永德元年十一月七日條。
㊲：義堂周信，前舉書永德元年十二月三日條。

㊳：夢巖祖應，〈瞽叟殺人論〉之全文如下：「孟軻弟子桃應問孟軻曰：『舜爲天子，皐陶爲士，瞽叟殺人則如之何』？軻曰：『執之而已矣』！『然則舜不禁歟』？曰：『夫舜惡得而禁之，夫有所受之也』。『然則舜如之何』？云：『舜視棄天下猶視棄敝蹝也。竊負逃遵海濱而處，終身訢然，樂而忘天下』。或者疑云：『法之不可廢也，孝之不可忘也，則固然。使舜遽棄天下，則其奈蒼生何』？余應之曰：『觀夫軻書七篇，其隨時因人高下其言，而要其歸，只是道性善，而稱堯舜而已矣。而其中能說聖人用心之極致，得親切著名者莫善於焉。請試嘗論之：夫舜起陶漁，得帝堯之讓者無他，在孝義之著聞也耳。已登帝位，其所受者亦無他，先王之法也耳。由比言之，天下者非得於堯也，蓋得於孝也。所守者非帝位也，蓋守先王之法也。然則堯也，舜也，天下也者，皆其虛號也。而孝與法者非其實也耶？其實苟存，則惡乎往而非堯舜之天下，若爾曰棄非棄也，曰忘非忘也，若夫廢先王之法而不行，失孝義之道而不知，而徒竊其位號，而稱其嗣者，則身先自棄矣，何天下蒼生之恤哉！旨哉！孟軻子語聖人之詳也，孔子之後有孟子，先儒之言不誣矣。而今子以逃海濱，與夫莊周書所云遺世之士，自放物外，長往而不返者比焉則過矣，矧是假借之言也，而非眞有此事。學者或於此深察舜之所以自樹立者，則乃知孟軻之言不虛設矣。嗚呼！吾徒已稱大聖人之嗣也，其任大也，其責重也，而痛愚如土木者，徒以遁去爲高，以辭爲名者有矣。與夫附麗城社，竊據師位，同類螘合，以爲吾門昌熾者，則有間而爲舜之罪人則鈞也，因釋惑者之疑而不覺及此』。」

㊴：如據夢巖祖應之《語錄》，則夢巖曾作〈贊〉詩曰：「木鐸餘音猶震霆，孔門如海小人聽。當年若是能枉尺，千載因何挑日星」。可見其尊崇孟子之一端。

㊵：參看註三四所舉〈瞽叟殺人論〉。

㊶：夢巖祖應，《旱霖集》〈悼大道和尚頌軸序〉。
㊷：陳式銳，《唯人哲學》，頁一九。
㊸：《論語》〈爲政篇〉云：「爲政以德，譬如北辰，居其所，而衆星拱之」。
㊹：夢巖祖應，《旱霖集》〈祈穀詩〉。
㊺：夢巖祖應，《旱霖集》〈天秀說〉。
㊻：夢巖祖應，《語錄》。
㊼：《夏書》〈五子之歌〉。
㊽：《孟子》〈盡心篇〉。
㊾：陳式銳，《唯人哲學》，頁三。
㊿：中巖圓月，《中正子》〈內篇〉之一。
(51)：陳式銳，《唯人哲學》，頁四。
(52)：橫川景三，《補菴京華別集》（《五山文學新集》，第一冊）〈仁叔字說〉。
(53)：龍泉冷淬，〈辨性論〉（自寫本）。
(54)：《孟子》〈離婁篇〉。
(55)：陳式銳，《唯人哲學》，頁一七～一九。
(56)：《孟子》〈公孫丑篇〉。

57：天隱龍潭，《天隱文集》〈仁岳字說〉。
58：同前註。
59：橫川景三，《小補東遊集》（東京大學史料編纂所謄寫本）〈善室字說〉。
60：常庵龍崇，《角虎道人文集》（《續群書類從》，卷三四三），〈先覺字說〉。

（本文原刊於《第七、八屆中國域外漢籍國際學術會議論文集》，臺北，聯合報文化基金會國學文獻館，一九九五年十月）

日僧中巖圓月有關政治的言論

一、前言

如衆所周知，日本中世禪林不僅有許多道行極高的和尚爲弘揚、教化世俗而奉獻自己，同時也不乏因致力於儒學研究，對漢學之造詣極深而永垂青史者。由於他們多擅長作漢詩文，故所獲評價也頗高。如：在明洪武初年來華的絕海中津，其文章就曾被譽爲：「雖吾中州之士老於文學者不是過也，且無日東語言氣息」①，所賦詩篇也「清婉峭雅，出於性情之正，雖晉唐休徹之輩亦弗能過之」。②《元亨釋書》的作者虎關師鍊則更被認爲「微達聖域，度越古今，強記精知，且善著述」，非但對佛教經典有精深之研究而能究其奧，對中國儒家之書也「上從虞、夏、商、周，下逮漢、魏、唐、宋，乃究其典謨、訓誥、天命之書，通其風、賦、比、興、雅、頌之詩，以一字之褒貶，考百王之通典」，「就六爻貞悔，參三才之玄根，明堂之說，封禪之儀，移風易俗之樂，應答接問之論」也都通曉。更及於「子思、孟軻、揚雄、荀卿、王通之編」，「旁入老、列、莊、騷、班固、范曄、太史紀傳，三國及南北八代之史，隋、唐以降，五代、趙宋紀傳」，「乃復曹、謝、李、杜、韓、柳、歐陽、三蘇、司馬光、黃、陳、晁、張、江西之宗，伊洛之學，轇轕經緯，旁據午援，吐奇去陳，曲折宛轉」，而其成就並不遜於自古以來之中國文人。③這些評語固不免有溢美之辭，卻仍可由此推知他們對儒學造詣並非泛泛。

那些學問僧除遺有記載佛學方面的語錄、偈頌外，也留下許多儒學關係的著作，如上村觀光輯《五山文學全集》五鉅冊，④及玉村竹二輯《五山文學新集》八鉅冊⑤等即其代表。我們從這些作品裏，處處可發現有關儒學方面的言論，同時也可找到他們關懷國家社會，尤其有關爲政者之修爲方面的文字。他們認爲政是「民本」，人君當爲「保民」之元首。爲保民之元首者必須行仁義之政，要處處以人民之幸福爲念，如此，人民方能免於塗炭之苦。因那些禪僧所閱讀者，除佛教經典外，大都是中國圖書，影響所及，其有關政治方面的言論，自然也都根據中土先儒之言而發，或敷衍中國儒者之言而立論。

從他們所發表政治方面的文字觀之，彼輩雖出世，卻仍不忘利用機會隨時勸導其爲政者要多關懷子民，成爲保民之君而無私欲之雜；除保民外，應別無所企圖。姑且不論其效果如何，用意是值得肯定的。本文亦擬根據先儒之言，並以中巖圓月爲例，以考察當時日僧有關政治方面的見解。

二、中巖的生平

中巖圓月（一三〇〇～一三七五），號中正子，日本相模國（神奈川縣，國爲古代行政區域）鎌倉人。俗姓平。自幼聰慧，年甫八歲，即入邑之壽福寺爲僧童。十二歲，從池房之道惠和尚讀《孝經》、《論語》，並學九章算術⑥。明年，從梓山律師得度，學顯、密於三寶院，又隨寬通禪師讀禪錄。尋入鎌倉圓覺寺，受學於東明禪師，叩洞上之宗風。文保元年（元仁宗延祐五年，一三一八）十九歲時離開鎌倉，至筑前（福岡縣）博多，擬至華遊學，但不爲當局所許，乃經由京都前往越前國（福井縣）。後來東返鎌倉，居建長寺。元亨元年（元英宗至治元年，一三二一），復至京師，居南禪寺。翌年，又回鎌倉，於建長寺職司文書工作。正中二年（元泰定帝泰定二年，一三二五）九月，獲准來華，時年二十六。來華後，寓居浙江之雪竇山，歷參諸高僧，並至百丈山師事東陽德輝禪師而嗣其法。東陽乃北僴居簡之宗統的大禪師，因賞識中巖之才學，乃使其掌「記室」，而其他禪師如龍巖、柏壑、竺田諸老亦對其學識稱美有加，待之如貴賓云。⑦

中巖在華期間，除學禪外，也還與儒者張觀瀾等來往而其儒學更爲精進。故華僧竺仙梵僊曾譽之曰：

> 如中巖者，學通內外，乃至諸子百家，天文、地理、陰陽之說，一以貫之，發而爲文，則郁郁乎其盛也。⑧

與絕海中津同被譽爲日本五山文學之雙璧的義堂周信亦稱美之曰：

> 中巖學窮理性，文法《春秋》，奴僕乎輔教之仲靈，輿臺乎僧史之通慧。⑨

《本朝高僧傳》之作者師蠻更曰：

中巖錯綜三藏，收其秘詮，驅逐五車，嗜厥肥潤，揮筆萬言立就。胸中橐鑰，動而愈出，本朝緇林，有文章以還，無抗衡者，可謂空前絕後也。⑩

上舉中、日兩國三位高僧對中巖的學術修養所作評論即使未必十分中肯，但也八九不離十，此可由後文所引文字，或其文集獲得佐證。

中巖到中國以後曾賦七律一首曰：

蟹步先聞窗外竹，夢敲寒枕響疎疎。紅難宿處如灰死，白易生時覺室虛。群玉府開通遠近，假銀城責莫乘除。高樓厭厭誰知冷，肯管寒江獨釣漁。⑪

其師東陽見之，乃以〈寄中巖〉爲題和之曰：

大雄峰頂冤憎會，大罵分離不計年。近日人從海東到，前秋書向陝西傳。陽昇大地無偏照，月至中天分外明。萬里由來同咫尺，杖林山下竹筋鞭。

詩後並作〈跋〉曰：

中巖書記自雄峰來，訪余湫上，出示行藁，因得擊節盡讀。茲其還千尺山中也，奉和首篇，以寫盛藏之意。⑫

因東陽詩有「近日人從海東到」之句，而其〈跋〉復言「茲其還千尺山中」云云，故此一唱和當是中巖在百丈山即將辭別東陽時。

釋拙逸宗廓亦以同一詩題賦之曰：

讀盡汗牛充棟書，道情純熟世情疎。希蹤積翠質而野，方駕鐔津實若虛。靈境山河居掌握，玄兔滄海在庭除。上方孤絕遊人少，冷眼庸庸竭澤漁。

詩後記曰：

至順庚午中和前五日，拜書于東菴之挹翠樓。⑬

至順庚午為元文宗至順元年（元德二年，一三三〇），因東巖於寧宗至順三年（元弘二年，一三三二）返日，故拙逸此詩，應是在其東返前所賦。

中巖返日後寓居博多之顯孝寺。明年，赴京都參華僧明極楚俊會下後歸蒙堂。前此，後醍醐天皇（一三一八～一三三九在位）為打倒不時干預天皇繼承問題之鎌倉幕府，曾於正中元年（泰定元年，一三二四），及元德元年（元明宗曆二年，一三二九），前後兩次號召勤王之師起義，但俱告失敗。後醍醐於第三次失敗後，被幕府流放於日本海中之隱岐島。後醍醐被流放後，其討伐幕府的意志未稍撓屈，仍不斷與近畿，中國地方之宮廷方面人員聯繫。在近畿方面，後醍醐之子護良親王以吉野（奈良縣）之藏王堂為活動據點，河內（大阪府）的楠木正成則在赤坂城淪陷後，於金剛山腹築千早城（大阪府）防禦而幕府大軍無法攻破。後醍醐察知此一情勢後，乃於元弘三年（元順帝元統元年，一三三三）閏二月逃離隱岐，被名和長年擁於伯耆（鳥取縣）山上。幕府雖遣軍進攻伯耆，但其部將足利高氏（尊氏）臨陣倒戈，改攻位於京都之幕府機構——六波羅府，五月七日予以攻陷。其奉護良親王之號召舉兵於上野（群馬縣）之新田義貞，則於五月二十二日攻陷鎌倉幕府，消滅執權（職稱）北條高時等人，幕府遂亡。中巖歸蒙堂之際，正是幕府滅亡，後醍醐還御京師，擬親政以改革政治之時（建武新政）。故乃作〈原民〉、〈原僧〉二篇，倡言改革政治，且上表力陳應祛除舊弊，以舉革新之實。此事容於後文討論。明年春月，回故里鎌倉，居圓覺寺。撰述《中正子》十篇，論儒釋之理，更發揮宋儒新說，此事對日後彼邦禪林文學之發展影響頗鉅。

如據足利衍述的研究，中巖返鎌倉之翌年，其師東明和尚奉敕爲建長寺住持，東明乃舉他爲「後版」，但他竟遇襲而幸免於難。中巖何以遇此災厄，其因雖不詳，惟因他係嗣百丈山東陽德輝之法剛回國之才俊，故可能因而爲同宗異派之愚頑禪徒所不容，致受其讒誣迫害。⑭而他在事後寫給華僧竺仙梵僊的信中也說：

僕頃在業師會中受諸人猜疑，言語呶呶，欲奪吾志，故至此極。且於兵革紛擾中無路退避，臬兀不安，如座叢棘。由是神識荒散，殆如狂癡。⑮

則其個中情形，當可推知一二。

迄至延元二年（元順帝至元三年，建武四年，一三三六），當竺仙梵僊董鎌倉淨智寺時，竺仙請其居前堂。興國元年（至元六年，曆應三年，一三四〇），近江（滋賀縣）守大友貞守於上野利根營建吉祥寺，以中巖爲其開山。中巖即拈香表示其爲百丈山東陽和尚之法嗣，而東陽之法燈由是在日域點燃。惟卻因此觸怒洞宗之徒而欲加害於他，因得不聞別源等禪宗別支之援救而無事。⑯此後約兩年時間，中巖居於鎌倉之藤谷，從事著書、賦詩，以排遣其抑鬱情懷。

興國三年（順帝至正二年，康永元年，一三四二）夏月，中巖擬再赴中原，拜訪乃師東陽而赴九州，但因當地職官不許而未克如願，不得已，又回鎌倉。明年，住吉祥寺。興國六年（至正五年，貞和元年，一三四五），至京都南禪寺海藏院訪虎關師鍊，借閱其鉅著《元亨釋書》。翌年，復歸吉祥寺。此後數年，往來於鎌倉、利根之間，而曾至豐後（大分縣）董萬壽寺。正平十一年（至正十六年，延文元年，一三五六），奉命爲京都萬壽寺住持。明年，於該寺東北之葛村營建禪房，名曰「妙喜世界」，以爲常居之處。又明年，離開萬壽寺，回吉祥寺。十七年（至正二十二年，貞治元年一三六二），復受命董京都建仁寺，乃將「妙喜世界」遷建於東山。數月後，建仁寺之前任住持無雲義天，因憎其倡東陽之法，乃使其門徒義俊於中巖欲至僧房座禪而揭開簾幕之際射之。雖幸而未被射中，但中巖卻立辭其職，避隱近江。第二年，室町幕府第二任將軍足利義詮強要其入京居等持寺，以之爲顧問。義堂周信慮其恐復遭無妄之災，乃修書勸誡，遂辭而避居「妙喜世界」。此後，雖屢有徵召，皆未應諾。十九年（至正二十四年，貞治三年，一三六四），前往近江之杣村創建龍興寺。自此以後，即由此往來於京都之間。二十二年（至正二十七年，貞治六年，一三六七），受聘回鎌倉爲建長寺住持。一年後，又回京都「妙喜世界」，由此往來於龍興寺之間，度其餘生。其間，雖曾先後受命爲京都南禪、天龍兩寺住持，但均辭而未就。迄至天授元年（明太祖洪武八年，永和元年，一三七五）示寂於「妙喜世界」，世壽七十六。賜謚佛種慧濟禪師。

東巖著有《語錄》二卷、《東海一漚集》五卷、《一漚餘滴》一卷、《中正子》、《藤陰瑣細集》（

又名《藤陰瑣談》）、《文明軒雜談》、《蒲室集註釋》、《日本紀》等多種。據說《日本紀》係日本史而以吳之太伯爲日本皇室之祖先，致觸怒其天皇而遂被焚燬云。⑰

中巖平日除禪修、弘揚佛法，及著述外，也關心一般社會大衆之事，尤其對政治方面寄以莫大關心。因政治的良窳對一般社會民衆的日常生活有密切關聯，所以他一有機會，便與當政者談論治國之道，勸其爲仁義之政。其有關此一方面的言論，可大別爲仁義、經權兩方面，所以下面擬就此作一番探討。

三、論仁義

前文已說，中巖圓月既非以趺坐禪堂爲是之枯衲，亦非埋頭於禪錄而不顧其他的腐僧，乃是救世濟度之大導師，憂世思民的活佛，故於治世之道有其大抱負，而言治國之道在於仁義。因他受儒家思想之影響深，所以每每根據儒家治國平天下之言發表其對政治的看法，致容易使人誤以爲他是一位滿腹經綸的漢家子弟，非出身日域，身著緇衣的僧侶。

先儒之道，以人生哲學爲中心，其思想之體系可於《大學》之八目見之。人生之目的爲至善境界，人欲臻於此種境界，其努力之層次爲：正心、修身、齊家、治國、平天下。惟因先儒以人生哲學爲中心，其思想皆以人爲主體，所以仁爲人與人以同類相感而發之同情心，人更以同情心進而推己及人。其積極推己及人爲忠，消極推己及人爲恕。⑱而此人與人之同情心爲儒家之明德，爲儒道之體。義，宜也，以良能施情之宜。仁與義，前者爲德性，後者爲行爲。《中庸》以親親之愛，最能表現仁之體；尊敬賢能，最能表現義之用。既能親親，又能尊賢，禮所生也。⑲孟子曰：

人皆有所不忍，達之於其所忍，仁也；人皆有所不爲，達之於其所爲，義也。人能充無欲害人之心，而仁不可勝用也；人能充無穿窬之心，而義不可勝用也。人能充無受爾汝之實，無所往而不爲義也。⑳

又曰：

仁，人之安宅也；義，人之正路也；曠安宅而弗居，舍正路而不由，哀哉！㉑

更曰：

人皆有不忍人之心。先王有不忍人之心，斯有不忍人之政矣！以不忍人之心，行不忍人之政，治天下可運之掌上。㉒

亦即孟子認爲當政者如能以不忍害人之心去施行不忍害人之政事，那麼，平治天下便可像在手掌上運轉。而此事就如今人乍見孩子將掉入井中，皆怵惕惻隱之心，此種心情完全出於自然，並非想藉此結交孩子之父母，亦非想博得鄉黨朋友之稱讚，更非厭惡其求救之呼聲、哭啼之聲而然。㉓

所謂不忍人之心，就是仁心，不忍人之政，就是仁政。仁政以仁心爲本，以仁心行仁政，則可以覆天下，可運諸掌上。由於人們忽見小孩將掉入井中，都會引起驚惶惻隱之心，此乃純粹基於內心的同情，非關外力，有所爲而出此。故可證明不忍人之心乃人類都具有的天性。㉔而君子所秉受之天性：

仁、義、禮、智四德，皆本於其心，不由外鑠。誠於中，形於外，亦即《中庸》第二十二章所謂：

誠則形，形則著，著則明，明則動，動則變，變則化，唯天下至誠爲能化。

對上述問題，中巖圓月認爲：仁是天生之性，固有於天地的親愛之道；義爲人倫之情，乃天性，亦即仁之活用。所以他認爲仁義是萬善之統合。曰：

仁也者，天生之性也，親也，孝乎親也；義也者，人倫之情也，宜也，尊也，忠乎君也。忠孝之移，以仁義相推耳，名異而實一也。㉕

亦即他認爲對父母盡孝，對國君盡忠，只是仁義相推而已，所以仁與義在本質上無差異。

道之體，智者足以知之，但無仁心以守之，則必失去；仁能守之，而臨之不莊重，則不能取得人之敬仰。仁能守之，臨之亦莊重，但動之又不能以體，猶未盡也。㉖德之深者爲君子，其所以異於人者，以其存心不忘之故。君子以仁存心，以禮存心，其施之於人，仁者愛人，有禮者敬人，其行之效驗，愛人者人恆愛之，敬人者人恆敬之。㉗仁、義、禮、智的關係雖如上述，但中巖則更進一步的論述它們與信的關係曰：

仁義者天人之道歟？天之道親親，人之道尊尊。親親之仁，生乎信也；尊尊之義，成乎禮也。天人之道雖殊，推而移之，一也。一之者可謂知也哉！㉘

中巖認爲敬愛雙親乃不學而知，故孝屬於仁，尊君乃孝之活用，學而知之，故忠屬於義。仁因天性之誠，亦即因信而行，義則爲仁的活用之差別，亦即由禮而行，知此道理即是知。此乃根據孔孟之說，

尤其根據《中庸》、《孟子》，及朱子之仁體義用說而發。㉙

仁乃人愛人之心，爲道之本體；義者宜也；禮者履也，爲人對人行爲之範疇。仁爲道之本體，禮爲道之用。孔子以仁爲主，以義、禮爲副；其後孟子闡義，荀子推禮，皆不能離仁。而此仁義之道，乃天道與天道之活用，亦即人與人道相合的中正不易之道，反此，則皆爲邪道。職是之故，中巖又曰：

> 仁義之離，邪之道也，偏之道也。楊也爲我，墨也無親。無親，何以爲仁？爲我，何以爲義？是故，墨之仁，非仁也；楊之義，非義也。楊墨之道，不能推而移，所以仁義離之者。臣弑君，子弑父，權輿乎楊墨。惟聖人者，能推而移之，是以仁義不離，正之道也，中之道也。㉚

然而社會上有下愚不移之人，不信禮義而又毀之，謂之自暴；既毀之，且又絕之，行不居仁由義，謂之自棄。居仁由義，固爲道之正常，但在世上亦有不知者，不智則不知仁。不仁，故無禮義之存心，則其動無度量分界，行而不得其宜，茫無所從，猶如受人使役，但其受人所役而又以之爲恥，故猶如造弓者之以造弓爲恥，造矢者之以造矢爲恥。就一國言之，如國人不信人敬賢，則國內空若無人；無禮義，則大家茫然無所從而天下必亂。㉛

由於仁義之道爲正，爲善，故爲政者唯有求仁義而已。若身爲王者唯利是圖，自元首以至庶人，皆謀一己之利，則上下交征利，彼此相侵，而國家必危。義既是發於仁的合宜行爲，則合宜合理。故君子以義爲上，無義則其行爲不正當，爲亂行。亂行，則偏離仁義，成爲「邪道」、「偏道」。因此，上舉中巖之言，可謂根據《孟子》〈梁惠王章〉所記載：

孟子見梁惠王。王曰：「叟，不遠千里而來，亦將有利於吾國乎」？孟子對曰：「王何必曰利，亦有仁義而已矣！王曰：何以利吾國？大夫曰：何以利吾家？士庶人曰：何以利吾身？上下交征利，而國危矣。萬乘之國，弒其君者，必千乘之家；千乘之國，弒其君者，必百乘之家；萬取千焉，千取百焉，不爲不多矣，苟爲後義而先利，不奪不饜」。

及司馬談〈六家要旨〉之言而發。惟此仁義之道雖爲正，爲善，然當以此治世，以此導人，有時可能會陷於過其中庸之弊。因此，中巖論之曰：

凡天下之事，靡不有弊。仁之弊也無威，義之弊也無慈。無威，則教導隳之；無慈，則化育夷之。教導之隳，何以治之？化育之夷，何以尼之？教而不治，義不之爲也；化而不尼，仁不之施也；教化之張，仁義之行也；教化之弛，仁義之弊也。㉜

仁爲天道，天道以愛爲主，愛過則無威嚴。義是人道，人道以禮法爲主，禮法過則無慈愛，無威嚴。無威嚴，無慈愛則無法治天下。所以中巖認爲以行的無過，無不及之眞正的仁義之道爲理想。並以此仁義之道施得宜之政——仁義之政，則君子賢其賢而親其親，小人樂其樂而利其利，乃至沒世不忘也。㉝

四、論經權

由於中巖並非一味趺坐禪堂，埋頭研讀禪錄不問他事之僧侶，而係滿懷憂世、救世之思想的出家人，故於治世之道有其極大抱負。他除認爲當政者必須施行仁義外，也還主張治國之道，在於經權，亦即在於文武相須。曰：

> 經權之道，治國之大端也。經，常也，不可變；權者，非常也，不可長。經之道，不可秘吝也，示諸天下之民可也。權也者，反經而合其道者也。反而不合，則非權也。經者，文德也；權者，武略也。武略之設，非聖人之意。聖人不得已而作焉，作而不止，非權之道也。作而止，則歸文德，是權之功也。文德，經常之道，誕敷天下，而武略權謀之備，不行於國，則堯舜之治，可以坐致。㉞

此言文治比武功重要，亦即城堡不完固，兵甲不多，非國之災；田野不闢，貨財不聚，非國之害。明乎此，可知仁與不仁，爲國家興亡之界線。

政爲求民事之正，人得以遂其生，此爲仁政目的之所在，其有不恤民之生死而圖君之富強者，爲先儒所不齒。春秋戰國，天下無道，爲政者惟利是圖，無所不用其極。日本惟利是圖，德國惟利是圖，均置仁義於不顧，第二次世界大戰以是發生，兩國先後敗亡，可爲殷鑒。孔子爲求撥亂反正，正本清源，以「正名」爲先。㉟

民爲邦本，保民而王，五倫達德，祭祀、征伐等，係天生蒸民之後，社會進步，三代文化之「物則」，亦即先儒歸納稱爲「道」者。㊱故孟子謂有「道」之世，人但修德，社會之位，必稱其德，各守「分界」，小德者亦自然服於大德，小賢者役於大賢，天下「各得其宜」；反之，無「道」之世，「物則」敗壞，人們漠視賢德，惟力是圖，而力弱小者必須服役於力強大者。㊲此事如齊景公者，以齊爲文明之邦，對蠻夷之吳國，不能以德服之，反屈服於其力，至不得不恥而涕泣下嫁其女於吳。㊳故天下有道，則禮樂征伐，自天子出；天下無道，則禮樂征伐，自諸侯出。㊴無道者，行反乎常，民必惡之，民惡之，則其心必背離而失民。職是之故，孟子以爲夏桀、商紂之失去天下，是因失其人民；其所以失其人民，乃由於失去人民信仰之心。由此觀之，如欲人民歸服，則必須得民心。得民心，便能使人民歸服。而得民心之道，在於將人民所需求者都給與而聚集之，人民所反對者則中止不做。因此，人民之歸服人君，便如水向低處流，獸類之走野處一樣。㊵孟子曰：

> 天時不如地利，地利不如人和：三里之城，七里之郭，環而攻之而不勝；夫環而攻之，必有得天時者矣！然而不勝者，是天時不如地利也。故城非不高也，池非不深也，兵革非不堅利也，米粟非不多也，委而去之，是地利不如人和也。故曰：域民不以封疆之界，固國不以山谿之險，威天下不以兵革之利；得道者多助，失道者寡助，寡助之至，親戚畔之，多助之至，天下順之。以天下之所順，攻親戚之所畔，故君子有不戰，戰必勝矣！㊶

孟子以戰爭作譬喻，言天時不如地利，地利不如人和。攻城，得乎天時，其所以攻不下，天時不如地利。守城，城高，池深，兵利，粟多，得乎地利，但無法堅守而棄而去者，地利不如人和之故。因爲：得道，得民而多助；失道，失民而寡助。寡助之至，親戚叛之；多助之至，天下順之。以天下之順，攻親之所叛，其戰必勝。所以文武雖不相離，但文乃經常不易之道，故爲本，武則爲其應急輔助機關，故爲末。對此一問題，中巖在上舉文字之後，接著細言之曰：

凡人生天地之間，實與禽獸相異，無爪牙以供嗜欲，無羽毛以禦寒暑，必假他物以養其生。於是聚而有求，求之不足，爭心將作。古之聖人，卓然而行，以仁愛禮讓之文德，眾心之化而附之，附而成群，謂之君。君以文德普施天下，天下之人歸而往之，謂之王。王者專修文德，旺化諸人者也，是以爲常，不可變者，經之道也。王者之心，苟怠而失常，則民心亦怠而不守常。繇是小則鞭扑之刑行之，大則甲兵之威征之，是則權謀之道也。是故經之道欲舉，權之道欲措。可舉之道，治世而施；可措之道，亂世而爲。夫堯舜之治，不能常有，所以不能措之。由是刑罰行焉，甲兵興焉。然而戡定禍亂，以合經常之道。㊷

仁義之政，在其主事者推其同情心於民，在上者如能恤民，則民親其上而死其長。若上慢下殘，不知恤民，但在重斂，以實倉廩而充府庫爲能事，則人民將不會爲報效其君而死。故欲民之死，在於君行仁政。昔日，冉求爲魯卿季氏家臣，既不能改季氏之德，反而取民之粟倍於他日。孔子因其離道，則囑諸門徒鳴鼓而攻之。其有爲爭地以戰，殺人盈野；爭城以戰，殺人盈城者，是爲土地而不爲人。此種舉動無異率土地而食人肉，其罪實不容於死。故善戰者如孫臏、吳起，服以上刑。連結諸侯者如蘇秦、張儀之輩次之。㊸由於武乃復興、振起文德之輔助機關，權宜之道，所以文德應普示於天下，武德則密而不可示，若示之則天下黷武而遂至大亂。中巖曰：

凡經常之道，欲普行諸天下，不可秘也。權謀之事，不欲普示諸天下，不可不秘，云云。然而示諸天下，則不可也。示則黷，黷則無威懲之心，故盜賊不去，四邊不安，宜也。如此則不惟

無經之道而已，兼失權之道也。㊹

當政者原應行仁義之政，處處以人民之幸福爲念，而善體其保民之道，守其當政者之分，適其民之宜。若凶暴淫虐，滅絕天理，則謂之賊；如行不義，則顚倒錯亂，傷敗彝倫，則謂之殘。殘賊之人，天下叛之，成爲獨夫。而獨夫，人人得而誅之。㊺因此，若天下剷武而大亂時，就須出大勇猛心，戡定禍亂，從事大改革。所以中巖認爲改革是政治之要道。曰：

改革之道，天下之大利也，君人者及率衆者，可不知乎？㊻

改革雖然重要，但也不可操之過急，應先使人民瞭解何以需要改革？改革以後有何好處？當大家都瞭解改革之目的，及使其明白改革之好處以後始可行之，如此，方能收事半功倍之效。因此，中巖又曰：

改革之道，不可疾行也，人心未信之之時，不可改也。人心已信之之日，可以革之。㊼

君行仁義之政，則處處以人民之幸福爲念，見有不被德澤者，則視爲自己把他推入溝壑之中，故當政者之責任如此重大。職是之故，惟仁者宜在高位，不仁而在高位，則因其不以民爲本，惟一己之富貴是重，橫征暴斂，以至率獸而食人，是掩惡於衆者。所以身爲當政者宜常思己過而改之，以道心主政，一意爲保民而王，此外別無目的，則自然其所思念者，民之饑溺，善推其同情心於民。反之，如梁惠王之因愛土地之故，不惜靡爛人民之血肉使之打杖，但大敗，卻還要打下去。但又恐無法獲勝，於是驅使其所愛子弟去死戰。此乃將其不愛惜疎遠人之心，加諸所愛惜之人的作法。㊽因此，孟子認爲諸侯如因無道而危害社稷，就非改立一個賢君不可了。

五、論時弊

當中巖圓月在華師事古林清茂、東陽德輝，並嗣東陽之法，於元弘二年（元寧宗至順三年，一三三二）東返之際，正是其後醍醐天皇（一三一八～一三三九在位）因討伐鎌倉幕府失敗，致被幕府流放於日本海中之孤島——隱岐之時。

且說當時的日本於承久三年（南宋寧宗嘉定十四年，一二二一），朝廷與鎌倉幕府之間發生爭執，朝廷、公卿因失利而其勢力一落千丈。㊾此後，開啓了幕府干預天皇繼承人選之端。天皇之更迭，時依幕府之意見而爲，並且其嵯峨天皇於文永九年（南宋度宗咸淳八年，元世祖至元九年，一二七二）崩後，因其遺詔未言明皇位繼承人，幕府乃乘機擁立龜山上皇爲治世之君，旋又同情龜山上皇之兄後深草上皇之遭逢不遇，乃以後深草上皇之子爲龜山上皇之子後宇多天皇的太子。自此以後，皇統分成系出後深草上皇之「持明院統」與系出龜山上皇的「大覺寺統」。幕府處此，乃於文保元年（元仁宗延祐四年，一三一七）促使兩統談和而「文保和談」之議成立，但兩統依舊鬥爭不絕，兩派活動甚烈。當花園天皇讓位（一三一八）以後，由「大覺寺統」時年三十一的尊治親王即位，是爲後醍醐天皇，但幕府仍干涉其立太子問題，使後醍醐憤慨不已。身處此一鬥爭與干政之中，深覺不合理，對於上皇之院政㊿亦頗感不當。後醍醐曾隨釋玄惠研究宋代性理之學，尤其傾倒於朱子學中的大義名分論。故於即位後不久的元亨元年（元英宗至治元年，一三二一）十二月廢除院政，恢復天皇親政。繼則與參議[51]日野資朝等人謀畫消滅幕府，以徹底解決百餘年來武人執政，及其干涉皇位繼承問題之困擾。

後醍醐親政以後，除起用北畠親房外，復重用日野俊基、資朝等公卿，致力革新政治。但爲徹底實施天皇親政，就必須將皇位傳給子孫。爲達到此一目的，其先決條件就是要消滅幕府。於是在正中元年（元泰定元年，一三二四）四月，密議討伐幕府之事。不幸失敗，其響應此一計畫之武士土岐賴春、多治見國長等人被幕府軍包圍而自殺，日野俊基、資朝被捕。幕府雖追究責任，但因證據不足，故只將擬往東國號召起義之日野資朝流放於日本海中之佐渡島，其餘人員則免究責任而得以相安無事。此一事變謂之「正中之變」。

兩年後，後醍醐擬立己子爲太子，幕府反對，欲以「持明院統」之量仁親王爲東宮。後醍醐深爲不滿，所以復召護良親王、日野俊基、釋圓觀、文觀等人密議打倒幕府之事。元德三年（元明宗天曆二年，一三二九）六月，後醍醐所信任之近臣吉田定房上言以爲討伐幕府不可行。不報。定房乃遣使至鎌倉密告天皇之企圖。因此，俊基、圓觀、文觀等人俱爲幕府所捕。於是幕府領悟此一計畫出自天皇，乃命武士將其逮捕而流放於隱岐島，並處罰此次參加討伐幕府工作的人員。

後醍醐在隱岐時其討伐幕府的意志未稍撓屈，仍不斷與近畿，中國地方的宮廷方面人員聯繫。在近畿方面，護良親王以吉野（奈良縣）之藏王堂爲據點，河內（天阪府）的楠木正成則在赤坂城淪陷之後，於金剛山腹築千早城防禦而幕府大軍無法攻破。後醍醐察知此一情勢後，乃於元弘三年（元順帝元統元年，一三三三）閏二月逃離隱岐，經過幾番戰鬥，並因幕府部將足利高氏之倒戈而終於消滅幕府，達成其親政目的，並改元建武，謂之「建武中興」（一三三四）。有關「建武中興」的內容，因與本文無涉，姑且不談。

中巖返日後因見此一時局之變亂，故認爲日本之亂乃由於王政式微，武德顯示於天下而天下遂黷武所致，而其弊已達於極點。乃謂之曰：

今觀（日本）國朝，民無不衣甲、手兵者，百姓皆怠其業，互相侵奪以爲利也。若夫出家斷髮者，亦以堅甲利兵相誇，而廢其本業也。禍亂之大，莫之過焉。武也者，戡定禍亂也，其爲文也，止戈也。然今有如斯禍亂，而不能戡定者，可言國有武乎？彼亦堅甲利兵也，此亦堅甲利兵也，以堅敵堅，以利敵利，其勢均矣！勢力均則不可制止也。[52]

此言日本當時的臣民忘其本業黷武，遂釀成禍亂。黷武的結果，文德式微。

君臣原爲人之大倫，各尊其位，守其分界，行其所宜，上下相得，則民事治。故孔子認爲若君使臣以禮，不越分，不驕泰；臣亦感於其情，自然盡忠以事之，不敢或忽。[53]然在當時的日本，君臣之義已不復存在。君臣之間，彼此無法遵禮而行，遂陷天下於大亂。非僅武人黷武而不聽命於朝廷，更有棲身於佛教寺院的出家人爲保護自己既得之權益而武裝起來。更有甚者，如園城寺、興福寺等大寺院，竟以其強大的僧兵[54]力量，或與公卿結合，或與武人站在同一線上，互爭雄長。文德既已式微，而其輔助文德之發展的佛徒又腐敗，致僞僧輩出。因此，中巖說：

出家也者，斷髮云乎哉，出離俗塵之家，疎於世情，親于道情之稱也。儒不云乎，身體髮膚，

> 不敢毀傷。然則佛之教，剃髮除鬚，其無由乎。曰：若使爾形質同彼在俗之人，則俗不知所以擇而敬之，僧亦以爾形質不與俗易，故身於俗中，以行非法事，而無所羞也。是以吾佛教剃除鬚髮，表而出之，是故俗見彼圓顱之士，殊生恭敬之心，僧以爾形質異諸人，不可藏身，故不敢行非法之事。僧不行非法之事，則其道愈隆焉。俗生恭敬之心，則其福愈昌焉，釋氏之教，固有由也。[55]

此言佛徒所以剃髮除鬚的原因，及其所修之道能夠愈隆之由。身爲佛門弟子者，若只剃髮除鬚而不守本分，則徒盜僧名而已，不僅於世無益，反而有害。所以又說：

> 今稱出家者，不本其由，而止斷髮而已，士農工賈之民，皆廢其業，不知所以爲僧，偷空名於出家，縱意斷髮者户有諸？非唯爲儒者罪人而已，抑又爲弊佛法之魔族也。僧亦斷髮，俗亦斷髮，何異之有？且夫士農工賈之民漸少，而徒爾不用之人愈多，亦爲國家之害矣！[56]

亦即佛門弟子若不謹守本分，致力修行以獲善果，以導引世俗之人向善，及普渡衆生，而只偷空名於出家，則其與一般士農工商並無差異。如此則不但是儒者罪人，也是佛法之魔族，冒犯佛陀者。由於當時上自公卿，下至士民，受戒、法體而盜名，翫武行非，遂至遊民日多，僧兵與時俱增。中巖以爲此種現象乃佛徒忘其本分使然。社會風氣既如此，則必須予以匡正，否則便無法使國家富強。中巖對此問題的看法是：

> 今宜奈之何？宜當敕差有司，如非官軍者，衣甲、手兵則誅之，使彼士農工賈及釋氏之流，各

務本修業，則富強之國，其庶幾乎。㊼

也就是說，要使士農工商各守其本分，非官軍者不得武裝，釋氏之流勤修本業，各安其分，否則加以處罰，如此方能使國家富強起來。

中巖所論時弊不僅鞭辟入裏，而且尚懷有匡濟之策，故曾上書給後醍醐天皇，請求其改革政治，以祛除時弊，以拯救黎民。曰：

董仲舒《對策》曰：「琴瑟不調甚者，必解而更張之，乃可鼓也。爲政而不行甚者，必變而更化之，乃可理也」。仲舒之言，至矣哉！恭惟陛下，明繼周文，德承文武，興亡除霸，柔遠包荒，高天之下，厚地之上，莫不賓順，非聰明睿知，得命於天者，孰能與於此哉！然今天下爲關東所伯，百數十載之弊積焉。斯民漸漬，惡俗，貪饕諂詖，故自朝至暮，獄訟滿庭，又沙上偶語者亦多矣！乃與漢繼秦之時偶相同也，更化則可理之時也。天地之初，臣不得而知之，陛下除霸興王，乃萬世鴻業之始，國在斯時乎！舊法之弊，可不革耶？㊽

文中所謂關東，是指位於鎌倉之幕府而言，此言自從武士於十二世紀末在鎌倉設置幕府以來百有餘年，因天下爲其所霸，致社會弊端漸多而積重難返。因幕府「播其惡於衆」，終爲朝廷所滅。而前此所積舊弊，亟應興革，以救黎民於水深火熱之中。中巖忠君愛國之情洋溢於字裏行間，而其憂世之情，思君之衷心，在當時日本禪林裏，實鮮有可與比匹者。

以上乃就日僧中巖圓月有關政治方面的主要言論作一番考察，從而得知他非但對儒學有精深之研究，對國家社會也寄予極大的關懷。而其對天皇、諸侯之教，又是儒的教化，故如僅就其文章觀之，實容易令人誤以為他是出身華夏的世俗士子。當時的日本禪林，對政治表示關心的，除中巖外，尚有春屋妙葩、夢嚴祖應、義堂周信、虎關師錬等人較著。春屋曾謂：

夫孝者天下達道也，仁者君臣大本也，忠者人倫大義也。㊾

此言在一個國家裏，忠孝仁義為不可或缺者。夢嚴則謂：

夫人也，不知愛其類，又朝死而夕忘，鳥獸草木之不若者或有焉，則群居必亂。於是乎有聖人者出，率其固有之性情，以覺斯民，此世俗民教之所以起也。㊿

此係根據性善擴充主義而立言。此外，他也曾根據孟子的王道論，言王道在於得民心、天意，而其本則在於自己身邊。謂

惟君務國本，國本在民天。天高不可測，方寸為之權。感格從工誠，探物懷袖間。三方一以貫，王道理又玄。(61)

至於義堂則更謂：

凡治天下，文武二道也，武則治亂而已，文則為政之術也。昔唐太宗貞觀之政，至今為美。其

初，太宗以弓問弓工。答曰：「木心不正」。太宗乃召十八學士，問政事之要。吾日本三代將軍（源實朝）之世，以十八人文士，分爲三番，侍幕府之講，無乃擬十八學士乎。然則古今治天下國家，非文武二道則不可也。凡人爲上者憫下，爲下者敬上，是則非生而知之，以學而知之也。不學而知者，未之有也。千萬以學政治之備，則幸甚。(62)

這段文字不僅言治國之要，也還勸在上者要向學、知道，以善其身，以大成其德。並且他還謂：

凡治天下，執權柄者，當勤學以益其智，不然，闇昧多不通達。(63)

由上文可知，當時的日本禪林，除修業、讀書外，也對國家、社會寄予莫大關懷。

〔註釋〕

①：如蘭，《蕉堅稿》〈跋〉。如蘭，天竺寺僧。《蕉堅稿》爲絕海中津之詩文集。此〈跋〉並見於伊藤松貞一輯，《鄰交徵書》，二篇，卷之一，〈詩文部〉。

②：道衍，《蕉堅稿》〈序〉。道衍爲明初之僧錄司左善世。此〈序〉並見於前舉《鄰文徵書》，同篇、同卷，同部。

③：中巖圓月，《東海一漚集》，卷三，〈與虎關和尚〉。

④：上村觀光，《五山文學全集》（京都，思文閣，昭和四十八年），共五鉅冊。

⑤：玉村竹二，《五山文學新集》（東京，東京大學出版會，一九六七～一九七二），共八鉅冊。

⑥：九章算術，古算術名詞，也稱九數。包括九種不同的算法：⑴方田，以御田疇界域。⑵粟米，以御交質變易。⑶

差分，以御貴賤廩稅。⑷少廣，以御積冪方圓。⑸商功，以御工程積實。⑹均輸，以御遠近勞費。⑺贏不足，以御隱雜互見。⑻方程，以御錯糅正負。⑼句股，以御高深廣遠。見《周禮》〈地官・保氏〉註。

⑦：足利衍述，《鎌倉室町時代之儒教》（東京，有明書房，昭和四十五年五月），頁二五二。

⑧：竺仙梵僊，《天柱集》〈示中巖首座〉。

⑨：義堂周信，《空華集》，卷一，〈袁氏贏吟序〉。

⑩：師蠻，《本朝高僧傳》，卷三二，〈中巖傳〉。

⑪：伊藤松貞一，《鄰交徵書》，初篇，卷之二，〈詩文部・元朝〉。

⑫：同前註。

⑬：同前註。此詩並見於中巖圓月，《東海一漚集》。

⑭：足利衍述，《鎌倉室町時代之儒教》，頁一五三。

⑮：中巖圓月，《東海一漚集》，卷三。

⑯：同註一四。

⑰：《延寶傳燈錄》，卷六〇；《本朝高僧傳》，卷三二〇；《續本朝通鑑》，卷一一八、一二一、一四七。足利衍述，《鎌倉室町時代之儒教》，頁二五四～二五五。

⑱：陳式銳，《唯人哲學》（廈門，立人書報社，民國三十八年一月），頁一一九。

⑲：《中庸》，第二十二章云：「仁者，人也，親親為大；義者，宜也，尊賢為大。親親之大，尊賢之等，禮所生也」。

⑳：《孟子》〈盡心章句下〉。

㉑：《孟子》〈離婁章句上〉。

㉒：《孟子》〈公孫丑章句上〉。

㉓：同前註。

㉔：參看朱熹集註、蔣伯潛廣解，《四書讀本》（臺北，啓明書局，出版年月不詳）《孟子》，頁七九。

㉕：中巖圓月，《中正子》〈仁義篇〉。

㉖：《論語》〈衛靈公篇〉云：「子曰：知及之，仁不能守之，雖得之，必失之；知及之，仁能守之，不莊以蒞之，則民不敬；知及之，仁能守之，莊以蒞之，動之不以禮，未善也」。

㉗：《孟子》〈離婁章句下〉云：「孟子曰：君子施所以異於人者，以其存心也。君子以仁存心，以禮存心。仁者愛人，有禮者敬人；愛人者，人恆愛之，敬人者，人恆敬之」。

㉘：同註二五。

㉙：足利衍述，前舉書頁二六一～二六二。

㉚：同註二五。

㉛：《孟子》〈公孫丑章句上〉云：「不仁不賢，無禮無義，人役也；人役而恥爲役，猶弓人而恥爲弓，矢人而恥爲矢也」。同書〈盡心章句下〉則云：「不信人賢，則國空虛；無禮義，則上下亂」。

㉜：同註二五。

㉝：《大學》〈傳之三章〉。

㉞：中巖圓月，《中正子》〈經權篇〉。

㉟：《論語》〈子路篇〉云：「子路曰：『衛君待子而爲政，子將奚先』？子曰：『必也正名乎』？子路曰：『有是哉！子之迂也，奚其正』？子曰：『野哉！由也。君子於其所不知，蓋闕如也。名不正，則言不順，言不順，則事不成；事不成，則禮樂不興，禮樂不興，則刑罰不中；刑罰不中，則民無所措手足。故君子名之必可言也；言之必可行也。君子於其言，無所苟而已矣』！」

㊱：陳式銳，《唯人哲學》，頁一五七。

㊲：同前註。

㊳：《孟子》〈離婁章句上〉云：「孟子曰：『天下有道，小德役大德，小賢役大賢；天下無道，小役大，弱役強，斯二者，天也。順天者存，逆天者亡』。齊景公曰：『既不能令，又不受命，是絕物也』。涕出而女於吳」。

㊴：《論語》〈季氏篇〉曰：「孔子曰：『天下有道，則禮樂征伐，自天子出；天下無道，則禮樂征伐，自諸侯出。自諸侯出，蓋十世希不失矣！自大夫出，五世希不失矣！陪臣執國命，三世希不失矣！天下有道，則政不在大夫，天下有道，則庶人不議』。」

㊵：《孟子》〈離婁章句上〉云：「孟子曰：『桀紂之失天下也，失其民也；失其民者，失其心也。得天下有道，得其民，斯得天下矣！得其民有道，得其心，斯得民矣。得其心有道，所欲與之聚之，所惡勿施爾也。民之歸仁也，猶水之就下，獸之走壙也。故爲淵敺魚者，獺也；爲叢敺爵者，鸇也；爲湯武敺民者，桀與紂也』。」

㊶：《孟子》〈公孫丑章句下〉。

㊷：中巖圓月，《中正子》〈經權篇〉。

㊸：《孟子》〈離婁章句上〉云：「孟子曰：『求也爲季氏宰，無能改於其德，而賦粟倍他日。孔子曰：求，非我徒也，小子鳴鼓而攻之，可也。由此觀之，君不行仁政而富之，皆棄於孔子者也。況於爲之強戰。爭地以戰，殺人盈野；爭城以戰，殺人盈城；此所謂率土地而食人肉，罪不容於死！故善戰者服上刑，連諸侯者次之，辟草萊任土地者次之』。」

㊹：同註四二。

㊺：《孟子》〈梁惠王章句下〉云：「齊宣王問曰：『湯放桀，武王伐紂，有諸』？孟子對曰：『於傳有之』。曰：『臣弒其君，可乎』？曰：『賊仁者謂之賊，賊義者謂之殘；殘賊之人，謂之一夫。聞誅一夫紂矣，未聞弒君也』。」

㊻：中巖圓月，《中正子》〈革解篇〉。

㊼：同前註。

㊽：《孟子》〈盡心章句下〉云：「孟子曰：『不仁哉，梁惠王也！仁者以其所愛，及其所不愛；不仁者以其所不愛，及其所愛』。公孫丑曰：『何謂也』？『梁惠王以土地之故，糜爛其民而戰之。大敗，將復之。恐不能勝，故驅其所愛子弟以殉之，是之謂以其所不愛及其所愛也』。」

㊾：自從武人源賴朝建立鎌倉幕府（一一八五）以後，京都的公卿勢力便受打擊。故乃乘賴朝於正治元年（南宋寧宗慶元五年，一一九九）死後，有勢力的「御家人」之相繼叛亂，幕府內部陷於混亂之機會，爲挽回公卿勢力而以

後鳥羽上皇爲中心，發動討伐幕府之師，但爲賴朝之妻北條政子，幕府執權（幕府之實際發號施令者。職稱）北條義時等所擊敗。此事件謂之「承久之亂」。亂後，幕府將後鳥羽、土御門、順德三上皇處以流刑，並沒收參與此一變亂之公卿、武士所有之土地，以分配給自己屬下。更爲監視朝廷方面的動靜，在京都設「六波羅探題」，從而加強其權勢，朝廷、公卿的勢力則與此相對的一落千丈。

㊿：院政，應德三年（北宋哲宗元祐元年，一〇八六），由白河上皇所創，上皇或法皇（皈依佛教之上皇）在院廳施行國政之政治形態。此種政治形態斷斷續續的實施到光格上皇於天保十一年（清道光二十年，一八四〇）殂落爲止。其間，白河、鳥羽、後白河三位上皇實施院政的時期稱爲院政時代。此一政治形態乃上皇在院中設院廳施政，其所下命令——院宣、院廳下文，與天皇所頒詔敕、宣旨同樣受重視。院的實權凌駕朝廷、攝關家（攝政、關白家），後來則與武士政治對立。此種政治形態成立的理由固在於壓抑攝關政治，或由於朝廷內部的情勢使然，但亦有人認爲其社會基礎在於：被權臣藤原氏壓抑而有志難伸的中、下層貴族，爲使其能成爲代表自己之利害關係的機構而加以支持。實施院政的結果，政出二門而造成廷臣與院臣、天皇與上皇之間的對立而弊害不少。

(51)：參議，亦書如三木。在律令規定外的官職。因參與朝廷之議，故有此名。僅次於大臣、納言之要職。從藏人頭、左右大弁、近衛中將、左中弁、式部大輔，或從曾經歷任五國國司、三位等人員當中嚴格挑選。在八世紀初設置。弘仁年間（八一〇～八二四）以後的編制爲八名，故亦謂八座。

(52)：中巖圓月，《東海一漚集》，卷三，〈原民篇〉。

(53)：《論語》〈八佾篇〉云：「定公問：『君使臣，臣事君，如之何』？孔子對曰：『君使臣以禮，臣事君以忠』。」

㊹：僧兵，手持兵器，從事戰鬥之僧侶。僧兵一詞，始見於江戶時代（一六〇三～一八六七）之史書，在此以前則稱爲惡僧。中國在五世紀頃雖已有僧兵之實，日本則始自天平寶字八年（唐代宗廣德二年，七六四），當藤原仲麻呂策畫平城上皇復辟之際，近江（滋賀縣）的僧沙彌助官軍而獲賞。迄至平安時代（七九四～一一八五），隨著律令體制之廢弛，僧侶急遽增加而其素質便相對減低，另一方面則因寺院膨脹而有許多良莠不齊的人進入寺院。與之同時，寺院又爲自衛而從莊園徵調武士，故無論在中央或地方的諸大寺、諸山，都可見到僧兵的不斷增加。尤其被稱爲奈良法師的興福寺，被稱爲山法師的延曆寺，及被稱爲寺法師的園城寺之僧兵勢力最爲強大。他們不但互爭雄長而鬥爭不已，更常要挾朝廷、幕府以遂其目的。迄至南北朝時代（一三三六～一三九二），各大寺院都以其僧兵加入公卿或武士之一邊，在戰國時代（一四六七～一五六七），則更與諸侯爭霸。尤其興福寺的僧兵，他們從鎌倉時代起稱爲「國民」、「衆徒」，支配大和（奈良縣）全境，在戰國時代則更有武將化者。惟至元龜二年（明穆宗隆慶五年，一五七一），延曆寺爲織田信長所焚燬，興福寺則被命繳出寺有土地。天正十三年（明神宗萬曆十三年，一五八五），豐臣秀吉焚燬根來寺，及沒收高野山、多武峰之寺院的兵器，及削減寺有領土。結果，僧兵便失去憑依而消失。

㊺：同註五一。

㊻：同前註。

㊼：中巖圓月，《東海一漚集》，卷三，〈原民篇〉。

㊽：中巖圓月，《東海一漚集》，卷三，〈上建武天子表〉。

59：春屋妙葩，《普明國師語錄》，卷二，〈爲登眞院禪定尼月忌初辰請〉。

60：夢巖祖應，《旱霖集》〈悼大道和尚頌軸序〉。

61：夢巖祖應，《旱霖集》〈祈穀詩〉。

62：義堂周信，《空華日用工夫略集》（東京，太洋社，昭和十四年四月），永和元年（一三七五）七月十三日條。

63：義堂周信，前舉書應安三年（一三七〇）十二月二十三日條。

（本文原刊於《淡江史學》，第六期，淡水，淡江大學歷史學系，一九九四年六月）

日僧虎關師鍊的華學研究

一、前　言

自從新儒學隨著禪宗東傳日域以後不久，即以彼邦五山禪林爲中心發展起來，終於成爲中世學術之主流。那些禪僧們不僅執漢文學之牛耳達數百年之久，而且留下不朽業績，此可由以心崇傳等編《翰林五鳳集》六十四卷，上村觀光編《五山文學全集》五鉅冊，玉村竹二編《五山文學新集》八鉅冊，及其他已問世之個人專集如季弘大叔之《蔗菴遺稿》等獲得佐證。

日本五山禪林所爲中國學術之研究的範圍非常廣泛，經、史、子、集都有，其作品內容亦多不逸出此一範疇。就其被譽爲：

> 微達聖域，度越古今，強記精知，且善著述，凡吾西方經籍五千餘軸，莫不究達其奧。其餘上從虞、夏、商、周，下逮漢、魏、唐、宋，乃究其典謨、訓誥、天命之書，通其風、賦、比、興、雅、頌之詩，以一字褒貶，考百王之通典，就六爻貞悔，參三才之玄根。明堂之說，封禪之儀，移風易俗之樂，應答接問之論，以至子思、孟軻、荀卿、揚雄、王通之編，旁入老、列、莊、

騷、班固、范雎、太史紀傳，三國及南北八代之史，隋、唐以降，五代、趙宋紀傳，乃復曹、謝、李、杜、韓、柳、歐陽、三蘇、司馬光、黃、陳、晁、張，江西之宗，伊洛之學，轇轕經緯，旁據午援，吐奇去陳，可謂座下於斯文不羞古矣。①

之早期禪僧虎關師錬而言，他所涉獵的中國圖書便如上舉文字所說，除佛教經典外，經、史、子、集都曾閱目，而且都有相當心得。這段評語容或有言過其實之處，但他之對它們有深入之研究，並有其獨到見解，此事實無法否認。

雖然虎關在內，外典方面之研究均留下輝煌的成果，但本文卻僅擬以其所著《濟北集》所記載者作爲考察對象，藉以瞭解他在中國學術研究方面的成就之一豹。

二、虎關師錬的生平

如據《虎關禪師行狀》、《海藏和尚紀年錄》、《日本名僧小傳》、《續本朝通鑑》卷五二及五五、《本朝高僧傳》卷二七、《延寶傳燈錄》卷二一等文獻史料的記載，虎關，名師錬。俗姓藤原。京都人。父名某，官左金吾校尉；母源氏，俱有賢行。日本弘安元年（元世祖至元十五年，一二七五）四月十六日生。自幼好學，每日各記十言，時有文殊童子之號。惟生來體弱多病，其母慮其成勞，乃奪其書卷深藏，但他卻搜索讀之云。

八歲出家，十歲祝髮。本年始讀《論語》，日課兩篇，隨讀隨誦，旬日即畢。其聰敏穎慧，於斯可見。職是之故，其師東山湛照每與人曰：「興吾道者，師鍊也，所憾吾老不及見」，而愛護備至。年十五，東山圓寂。之後，從華僧無學祖元之弟子，京都南禪寺僧規庵祖圓，及華僧蘭溪道隆門人，鎌倉圓覺寺僧桃溪學佛。

年十七，自圓覺寺回京都，從儒官菅原在輔學《文選》。在輔家藏有其先人道眞親自加上訓點——日式標點（句讀）之《文選》一部，且傳其說，號稱「秘傳」，②除於宮中舉行之「經筵」中向其天皇進講外，絕不出示外人。惟因愛虎關聰慧，故特以此講授。三年後，從蘭溪道隆門人，京都建仁寺僧無隱禪師。在此一時期，與內大臣③源有房爲「支許」④之交。某日，有房屏人問虎關曰：「《易》者，吾道之蘊，自大臣吉備（眞備）公三十餘傳至我，其授受得人則已，我顧吾家童稚不肖，不足委託，乞煩以此託之。他日若幸得其人，傳至於無窮」。乃傳〈傳〉、〈經〉及卜筮之秘說給他。當時的日本學術研究雖說有明經⑤博士，但其經義卻墨守唐制，立家法，除註疏外，一切不雜異說，甚至連訓點亦有家法，秘而不傳與他人。故其明經博士除講解註疏外，止於當朝廷在禮樂及儀式上有疑問而諮詢時，方纔引經義以議事而已。在當時學術界的這種風氣之下，菅原、源兩家之肯自動將其家傳秘學傾囊相授，可見其受儒門推許之端倪。

及至二十三歲，自教乘諸部以至百家之說，無不涉獵。曾謂：「近時我（日本）庸流奔波入宋，然徒遺我（日本）國之恥耳。我其南遊，使彼知我（日本）國有人」。正安元年（元成宗大德三年，一二九九），將買棹西航。當時其母年邁，且憂虎關多病，遂強止之。不得已，遂中止其來華計畫。

嘉元四年（大德十年，一三〇六）二月，應儒者某之請，撰《聚分韻略》五卷，此爲日本學者編纂韻書之嚆矢。德治二年（大德十一年，一三〇七），入華僧一山一寧⑥之門，勵精備至。一山曾問有關日本高僧之事蹟，虎關多半無法答覆。因此，一山曰：「公之辨博涉外方事，皆章章可悅，而至此本邦，頗似澁于應對，何哉」？虎關聞之，既深服其言，復覺赧顏。於是決意「異日必當博考國史並雜記等，以作皇朝釋氏之一經」。

在此一時期，後伏見天皇（一二九八～一三〇一在位）降詔使虎關住居河東之歡喜院，再三召見垂問法要。住歡喜院之翌年，有梅坡道人者在白河之側建濟北菴，供虎關居住。自此以後，虎關閉室謝事，專以著述爲務。元亨二年（元英宗至治二年，一三二二）二月，其所編撰之日本僧史完成，名曰《元亨釋書》，凡三十卷。一至十九卷爲僧傳，二十至二十六卷爲資治傳，二十七至三十卷爲志，此乃記載自佛教東傳日本以後，至其鎌倉時代（一一八五～一三三三）末期約七百年間的佛教史。同月十六日，虎關將它獻其朝廷，並請附於《大藏經》。惟虎關之此一請求在當時並未獲准，直到他圓寂（一三四六）後經十餘載的正平十五年（元順帝至正二十年，一三六〇），方纔獲得同意。

虎關完成《元亨釋書》後，曾先後主持京都東福、三聖、南禪諸寺。晚年遷京都東福寺海藏院，優游閑居，自號風月道人。其間，武將高師直⑦曾請爲其亡父師重拈香，卻以禪規不可常用爲辭，予以婉拒。虎關之所以拒絕此一請求，可能與師直之曾參與室町幕府（一三三六～一五七三）之創始人足利尊氏，反叛當時被認爲是皇朝正統的南朝有關。⑧職此之故，足利尊氏於稍後備具聘書，請他主持鎌倉建長寺時，則以病辭謝不就。後村上天皇（一三三九～一三六八在位）慕其道風，敕賜國師之號，而北朝光明院（一三三七～一三四八在位）亦極爲尊信。正平二年（元順帝至正八年，貞和二年，一三四六）七月二十四日圓寂，世壽六十九。相傳在示寂之日，淨髮洗浴，使侍僧書寫遺偈曰：「勿啓予手，勿啓予足，脫體現成，其人如玉」。書畢，即逝去如睡云。

虎關之著作，除上述《聚分韻略》五卷，《元亨釋書》三十卷外，尚有《佛語心論》八卷、《十禪支祿》三卷、《禪餘或問》二卷、《禪儀外文》二卷、《正修論》一卷、《禪戒規》一卷、《濟北集》二十卷。他在這些論著中最費心血者爲《元亨釋書》，而我們可從《濟北集》卷第九，〈答藤侍中〉、〈答藤侍郎〉、〈與明極〉等篇什，及《元亨釋書》之卷首、卷末所論者，窺見其意氣風發之氣概。⑨

虎關爲人健而順，溫而嚴。平日雖沉默寡言，惟若談及先哲之言行，則終日語之不倦。曾謂衆弟子曰：「吾自幼旁涉儒典，綜學顯、密皆有故。汝等唯心究祖宗則善，否則非吾徒」。又曰：「予正和以前，以書質心，正和以後，以心質心」。其居室雖破，不修，草萊雖蔓，不芟。終身孜孜矻矻，研學修道，可見其篤思精勵之一豹。當時或有譏其博覽者，然虎關之博學乃言禪則禪家，言儒則儒家，言文學則文學家，言史則史家。他不僅博，而且能約。其所以誡門弟子，乃恐其徒失於博。故如虎關者，能學而得其中，或人之言蓋不過爲毀謗而已。因此《本朝高僧傳》作者師蠻所謂：「吾（日本）國山川之倬詭，物產之魁殊，金、銀、銅、鐵之外，珍奇衆夥，而非吾所歆羡。夫山有富士，僧有錬公，是吾所瞻仰」，未必爲溢美之辭。⑩

虎關師鍊的華學研究，不僅對經、史、子、集的內容作深入探討，也還對每一歷史人物的作爲提出他的看法。茲以李斯、漢文帝、陶潛、武則天、程顥、朱熹等人爲例，來看他對這些人物的觀感如何。

三、人物論

1. 李斯

仁者，仁也，人與人同類相感而節欲，情之取予；義，明德者，宜也，欲、情取予得當，人與人各得其宜，適當之欲，配眞摯之情，亦即明德之擴大，則達至善之境。孔子譬之如北辰，居天之樞而不動，四面衆環繞而歸向之焉。⑪以德爲政者，當如〈湯銘〉所指，如滌其舊染之污而自新，不斷與民更始，時時求進步，以達太極之境。⑫

政爲求民事之正，人得以遂其生，此爲仁政目的之所在，其有不恤民之生死而圖君之富強者，爲先儒所不取。例如，冉求爲魯卿季氏家臣，既不能改季氏德，而復取民之粟倍於他日。孔子以其離道，則囑衆彨↑爭城以戰，殺人盈城者，是爲土地而不爲人，顚倒之極。竟以率土地而食人肉，其罪實不容於死。⑬

李斯曾受教於荀況，他既聞道，仕秦時又位居丞相，理應輔佐始皇行仁義之政，保民而王。但李斯非僅不行仁義之政，反而使始皇施呑併之術。因此，虎關乃以嚴厲措辭批判之曰：

聞道而不行，與不聞道而不行，二者何惡焉？我惡彼聞而不行者矣。蓋不聞而不行者愚而已矣，聞而不行者姦也。愚焉可哀，姦焉不可恕，況不啻不行，卻毀之，是可惡之大者也矣。李斯戰國時事荀鄉（卿）可謂聞道者矣。逮入秦，不行所聞，諭始皇以呑并之術，是可惡矣。適淳于越進忠言，斯當贊成，還立毀撤詩書百家之議，豈非可惡之大者乎？烏乎！斯也，所往聞如之何乎？奚其姦諂之奪忠義之如此甚哉？史言亡秦者胡也，我言亡秦者斯也。⑭

亦即他否定史書所謂亡秦者爲胡人之說，而認爲使秦國在短時間內滅亡的元兇爲李斯。人與人原有同類之感以推己及人之同情心，其發於行爲者，亦莫不得其宜，故謂仁義根於人心之固有。迄至外物如上文所謂爲土地之利所誘，爭城奪國，反不以人爲重。爲國者唯利是圖，大夫如之，士庶人如之，上下交征利，物交物，人心喪失，不奪不厭，非至弑簒不已矣。⑮因此，虎關乃引《荀子》〈彊國篇〉所謂：

古者百王之一天下，臣諸候，未有過封內千里者也。今秦南乃有沙羡與俱，是乃江南北與胡貊爲鄰，西有巴戎，東在楚者，乃界於齊；在韓者踰常山，乃在臨慮；在魏者乃據圉津，即去大梁百有二十里耳。其在趙者，剡然有苓，而據松柏之塞負四海，而固常山，是地遍天下也。威動海內，彊殆中國，然而憂患不可勝校也。諰諰然常一恐天下之一合而軋己也。此所謂廣大乎舜、禹也。然則奈何？曰：節威反文案，用夫端誠信全之君子治天下焉，因與之參國政，正是非，治曲直，聽咸陽，順者錯之，不順者而後誅之，若是則兵不復出於塞外，令行於天下矣。

若是則雖爲之築明堂於塞外，而朝諸侯使殆可矣。

而認爲仁義之政，在其主事者推其同情之心於民，如此則地方百里而可以王。因此，虎關復言：

彼荀子之言，猶昭王之時也，當始皇呑并之時，斯當國以鄉言行之，秦豈二世而止乎哉！假如斯也不能回始皇之暴，沙丘之崩不詐璽書，翼贊扶蘇循〈彊國篇〉，秦之世不患甚短矣。或曰：「扶蘇得嗣，蒙恬當相，斯不能矣」！予曰：「不然。秦廷只有恬、斯。斯挾立主之權，縱雖不相，言可行，況左右相，斯必在一矣。又況扶蘇之仁賢，蒙恬之義廉乎」。⑯

亦即虎關認爲李斯如能根據昔日所聞之道，修己治事，行內聖外王之道，始皇病歿沙丘時，不與趙高狼狽爲奸，矯詔害死始皇長子扶蘇與將軍蒙恬，擁立胡亥，而擁護仁賢的扶蘇繼位，使義廉的蒙恬擔任丞相，並循〈彊國篇〉所言方式來施政，則秦當不致僅二世，前後十五年（前二二一～前二〇七）就滅亡，而斯本人也不致因趙高之讒言被腰斬。又，由於當時的日本亦有助紂爲虐者，終於造成南北兩朝分裂之局面。虎關鑒於此一事實，乃更言：

故我惡彼不行所聞而亡秦矣。不特云秦，千榜五刑，亡身之甚者，未有如斯者也。今之世如斯之者多矣，我欲並斯而誅焉。⑰

2. 漢文帝

先儒思想，建立於「天人相與哲學」，又視宇宙萬物爲一家，是乃似倫理思想貫穿於政治原理之中。這種統一自然哲學、倫理哲學，與政治哲學，實爲中國文化之特質。《周書》〈泰誓〉云：

乾元，萬物資始；坤元，萬物資生。乾天坤地，是天地者，萬物之父母也。萬物之生，惟人得其鍾秀而靈。其四端，備萬善，知覺獨異於禽獸，而聖人又得其最秀而最靈者，其良知良能，均首出庶人，故得爲大君於天下；而天下之疲癃殘疾，得其生，鰥寡孤獨，得其養；舉萬民之衆，無一而得其所焉，此則元后之所以爲民之父母也。

元后即〈洪範〉所謂之天子。天子治國，要在「允執厥中」，主道心而無私欲之雜。除保民而外，別無所企圖。天子始能一心憂「四海困窮」，忠勤惕厲，以臨民事；常無爲，不求一己之富貴，於民有利者，無則所不爲，如是行之有時日，既「均」又「安」，則上下均沾其樂。惟在治國時，不可忽略者爲覓有才德之人，或培育人材而舉用之。能覓有才德之人，或培育人材而舉用，則有司皆得其人而政益修矣。

政爲衆人之事，治國則爲管理此衆人之事。無論何種政體，必有元首及其所率領之行政人員。仲弓爲魯國季氏宰，問政於師。孔子以宰事，上輔元首，下兼衆職，善分責於所屬，而考其成則已不勞而事畢舉。故曰：「先有司」。所屬如有大過，懲之，小過失則赦之。如此則刑不濫而人心悅。故曰：「赦小過」。尤其重要者，就是覓有才德之人而舉用之，則有司皆得其人，而其政治當更爲清明，更能獲人心。故曰：「舉賢才」。⑱賢才如何舉之？孟子以爲須以民意爲依歸，民之所好好之，民之所惡惡之，然後爲民父母。⑲

育材與舉賢才既然如此重要，虎關對前漢文帝的作爲便難免有所批判。曰：

漢文帝者，明主也，然我惜其不育材矣。〈李廣傳〉云：「帝曰：『惜乎子不遇時，如令子當高皇帝時，萬户侯豈足道哉』！」嗚呼！帝之言駟不及舌矣。夫士之遇之與不遇者，主之好之與不好也。文帝柄此權，知廣材，何不於其身，而讓其父乎？我天下者，高帝之天下也，高帝之天下者，我天下也，焉有二時乎？帝之言，亂理之謂乎，是非有道之言也。夫菑之已至而防之，不如未至而防之易矣，大易之有豫是也。帝之言廣也，何乖豫乎哉！況其時群下未全肅，四夷未全伏乎。⑳

虎關以爲文帝既然認爲李廣是位有作爲的人才，那麼，就應提拔他，重用他，不要將事情推到高祖身上去。更何況漢室在當時存在著與諸王之間的權力之調整，及農民沒落，商人勢力抬頭，防禦來自北方匈奴之入侵等問題必須解決，而需才孔亟。因此，他認爲不提拔、重用李廣，這是文帝不育材之過失。

虎關不僅以李廣爲例來批判文帝不育材之過，也還以賈誼爲例非難之曰：

不啻廣也，賈誼之謫夭也，帝之不育材之過也。帝之知誼之才，猶知廣焉。誼雖被沮絳灌，絳灌又乘帝之不育材之隙矣。我反覆而訂之，教之移之也。文帝好刑名學，薄于儒術，蓋刑名刻薄不育材矣。帝若嚮儒，不陷此過矣。帝之棄文材也，若誼焉，棄武材也，若廣焉，豈非刻薄教之所移乎？於戲！教之移人，雖文帝之明尚不免，況餘乎？㉑

他認爲李廣之未獲重用既是文帝之過，賈誼之未能得相當之職位，也是文帝使然。而文帝之所以未能重用賢材，乃由於他缺乏儒學方面的修養，愛好刑名之學所致。因此，虎關遂歎謂：「惜乎菁菁者莪，不入帝耳焉。文帝若無此過，周之成、康，不足多而已」。㉒

3. 陶　潛

陶潛是位偉大詩人，鍾嶸在其《詩品》評爲「古今隱逸詩人之宗」，更由於他的節操，所以有靖節先生之譽。其詩的格調之高，堪稱古今第一。因此，淵明詩不僅爲中國人所喜愛，日本禪林也多樂以吟誦，且日：

古人以陶潛稱詩家第一達摩，所謂「采菊東籬下，悠然見南山」，得非少林拈華之旨耶？㉓

而將其比擬爲詩家之達摩，此可能由於他們認爲淵明詩有與禪家旨意相通之處，而此相通之處正是吸引他們之所在。

日本禪林對淵明詩的看法雖多如此，但虎關師錬的見解卻是：

或問：「陶淵明爲詩人之宗，實諸」？曰：「爾」。「盡善盡美」乎？曰：「未也」。「其事若何」？曰：「詩格萬端，陶氏只長沖澹而已，豈盡美哉。蓋文辭施于野旅窮寒者易，敷于官閣富盛者難。元亮者衰晉之介士也，故其詩清淡樸質，只爲長一格也，不可言全才矣。」㉔

虎關雖肯定淵明爲詩人之宗，惟認爲他只擅長詩格之一的清淡樸質，所以不能說是全才。又，一般認爲淵明的思想本著儒家的氣節，而委身於老莊之自然，從而融合於山水的自然美之中。但虎關則不僅對其詩，對其作爲也有所批判曰：

> 元亮之行，吾猶議焉。爲彭澤令，纔數十日而去，是爲傲吏，豈大賢之舉乎？㉕

亦即以爲淵明不爲數斗米折腰，只當八十餘日的彭澤令就掛冠求去，這是一種「傲吏」的行爲，非「大賢」應有之舉動。又曰：

> 東晉之末，朝政顛覆，況僻縣乎，其官吏可測矣，元亮不先識哉？不受印，已受則令彭澤民見仁風於已絕，聞德教於久亡，豈不偉乎哉。夫一縣清而一郡學焉，一郡學而一國易教焉，何知天下四海不漸于化乎？不思此而挾其傲狹，區區較人品之崇庳，競年齒之多寡，俄爾而去，其胸懷可見矣。後世聞道者鮮矣，卻以俄去爲元亮之高，不充一莞矣。㉖

世間的一般人士雖「以俄去爲元亮之高」，但虎關則認爲淵明的行爲淺薄而不充一笑。如據虎關所言，則淵明既然受命爲彭澤令，就應該善盡職責。施仁政，愛人民，進而擴大及於一郡一國，亦即應該懷著經世濟民的弘願，去爲國家人民服務。更曰：

> 若言小縣不足爲政者非也，宓子之在單父也，託五絃而致和焉。滕文公之行仁也，來陳相於楚矣。七國之時，滕爲小國，魯國之內，單父爲僻縣，然而大賢之爲政也，不言小矣，況孔子爲委吏矣，爲乘田矣，會計當而已，牛羊遂而已，潛也，何不復邪？晉之衰也，爲政者易矣，況渴人易爲飲也。我恐元亮善於斯，自一彭澤推而上于朝者，寧有卯金之篡乎。㉗

因此，虎關乃從「夫守潔於身者易矣，行和於邦者難矣」的觀點，認爲淵明只不過是潔己之身的小乘羅漢之徒。㉘於是他下結論說：

潛也，可謂介潔沖樸之士，非大賢矣，其詩如其人。先輩之稱潛也，於行貴介，於詩貴淡。後學不委，隨語而轉，以爲全才也。故我詳考行事，合于詩云。㉙

亦即他將淵明之詩與其爲人相連在一起來下結論。此一結論，容或有其値得傾聽之處，惟其評語之與中國人士的評價有出入，則爲不爭之事實。雖然如此，日本禪林卻仍認爲：

陶靖節云：「只識琴中趣，何勞絃上聲」，其心寓於物而不滯於物，逍遙自樂之適，可想見矣。㉚

而仍給予很高評價，並且以他爲題材作偈頌或詩。例如：

三徑就荒松菊存，南山在眼掩柴門。秋香不易晉天下，一曲無絃酒滿樓。

（《普明國師語錄》，卷第七）

雲自無心鳥倦飛，祇應出處共忘機。知渠未醉黃花酒，今昨區區論是非。

（瑞溪周鳳，〈讀淵明歸去來辭〉）

據此以觀，日域人士之批判淵明爲「傲吏」，非「大賢」、「全才」者，恐怕只有虎關一人而已。

4. 武則天

古之「天子」，傳天下與人，並將其治天下之道授之；是堯禪舜，舜禪禹，均頒有「誥命」。「人心惟危，道心惟微，惟精惟一，允執厥中」。㉛人心易私而難公，故危；道心難明而易昧，故微。惟能以精察之，不雜形氣之私，一以守之，而純乎義理之正，則道心爲主，人心聽命焉。行乎此，則危者安，微者著，動靜相濟，自無過不及，而信能執其中矣。故「天子」宜精察事物，固守義理，善行中庸之道，否則四海困窮，民不聊生。「天子」既失保民之責，亦即「天祿永終」矣。㉜

世人以武后革周絕唐罪后，虎關則不以爲然。他認爲冤有頭，債有主，武后之忮情寔然。然若無高宗之縱容，雖武后之愎戾，也無法窺神器。因此而言，唐祚之所以中斷，實爲高宗之罪。他舉一二例子以證實此事曰：

《唐書》〈則天紀〉曰：「高宗顯慶後苦風疾，百司奏事，時時令后決之」。又曰：「天下之人謂二聖」。又《通鑑考異》引《唐曆》云：「帝坐于東閒，后坐于西閒。后隨其愛憎，生殺在口」。案此數事，高宗之惑甚矣。夫三代之後，君臣相和，階于至治者，漢、唐之二文也，而如流之譽，太宗猶多焉。高宗之時，太宗之賢佐未皆亡。高宗當沈痾之時，不能視朝，委于諸大臣，豈爲不才耶？如之正（貞）觀之治亦可復焉，而溺於危，惑於愛，使猜黠之婦人，託以機務。嗚呼！高宗暗昏不可言而已。又，彼武后者婦人也。婦人之爲道也，隱匿退謙，其德益光。然與帝者分東西之間，見百司之前。雖爲寵榮，非其道矣，又彼身心寧不羞乎哉。㉝

而認爲則天武后之所以敢肆無忌憚的憑自己之愛憎來生殺百官，實肇因於高宗之溺於色，惑於愛。由於昔日輔佐太宗的賢臣並未全部去世，所以如能以他們來輔政，則即使高宗本身沈痾不起，也因用人的當而其政必舉。因此，虎關認爲武后之一切醜行都是高宗一手造成的。如果高宗在其病重時，能將帝位讓與太子，就不會發生武后擅權之事。即使太子不肖，無法託以重任，在諸子之中，也有可託付天下者。又，如果高宗無禪讓之議，則武氏雖佷虐，也不致對天下發號施令。曰：

嗚呼！武后之醜行，皆高宗之浸漸也。當其疾沴之不救也，傳于太子，豈不懿乎。縱太子不肖者，諸子之中猶有可託者。燕王忠之讓意懷賢之文或可稱矣。高宗不顧諸子之賢，不省艷婦之忮，不思社稷，不恥百司，以桀紂之惑色，擬堯舜之傳賢，何其昏惑之甚乎。若高宗鄉無禪讓之議，武氏縱雖佷虐，不至革周矣。何也？五帝、三代以下無女主，故蓋向無其跡，後不可踵矣。彼高宗昇遐之後為皇太后，雖制中宗，若無高宗遜位之舉，豈攘神器乎？㉞

因此虎關認為高宗就是使唐祚中斷的罪魁禍首。至於太宗，也應負此一方面的部分責任。其理由在於：

予反覆詳之，雖太宗不得不繫此罪焉。十四子之中，寧不如高宗之昏弱乎？況濮王之好士善文乎。又，越王貞，紀王慎，亦著名於宗室諸子之中。太宗若慎受授，無唐室之厄。不辨不肖，託以大器。以是言之，太宗不能無傳系之議，史臣何不覃茲乎？㉟

按虎關之意，太宗如不將帝位讓予高宗，便無武后；無武后，唐祚就不會中斷。即使諸王的昏闇有如高宗，若無武氏，猶可守文。因此，太宗不得不受此罪。

5. 程　顥

虎關師鍊不僅對內、外典有精湛之研究，對宋儒新說也懷有極大興趣而對它有相當之造詣。雖然如此，他對宋儒卻未必完全心服，因為這要看該儒者對釋教的態度如何而定。就周敦頤而言，他的看法是：

仲尼沒而千有餘歲，縫掖之者幾許乎？唯周濂溪獨擅興繼之美矣。㊱

雖然如此，他對程明道卻持批判態度。大家都知道，明道曾學禪，㊲其思想根柢含有大乘佛教思想。他曾說過：

天理云者，這一箇道理，更有甚窮已。不為堯存，不為舜亡，人得之者。故大行不加，窮居不損。這上頭來，更怎生說存亡加減，是一佗元無少缺，百里具備。㊳

此語實與《般若心經》所謂人們原本具有佛性之「不生不滅，不垢不淨，不增不減」有一脈相通之處。明道既曾學佛，所發言論又帶有佛教思想，卻有批判釋教的言論。當虎關看到圭堂所著《大明錄》引明道的話來非難佛教時，曰：

寶慶、紹定之間，有匿姓名而品藻吾道者，號曰圭堂，書之曰《大明》。其布置傷之煩（繁）碎焉，其評語多有乖戾。……又舉程明道語：「佛氏之教，滯固者入於枯槁，疏通者歸於恣肆」。曰：「此大賢之語也」。夫程氏主道學，排吾教，其言不足攻矣。㊴

又曰：

堂已皈我，當辨是等之虛誣，還稱是，何哉？吾徒多焉，枯槁恣肆者寔不少矣，然評其道者，剿索其徒之不善者託言焉，寧為公議乎？孔子垂名教也，王莽學之簒漢祚；荀鄉（卿）弘大論也，李斯承之焚秦書，世只罪莽、斯，未聞皈咎於孔、荀矣，彼程氏何為者乎出言之不經也。㊵

亦即他認爲程子的根本思想雖取自佛教，但至後來竟排斥佛教，故乃以此爲憾。㊶同時他也還認爲程子不應因佛教徒中有少數枯槁恣肆者，即據此以攻訐佛教。王莽學孔教而篡漢祚，李斯學荀卿之門而焚秦書，世人也只批判莽、斯而無人歸咎於孔、荀。因此，程氏之以少數佛教徒之過而非難釋氏之言論是不足取的。至於虎關對伊川的批判，亦大致如此。

6. 朱熹

在衆多宋儒中，受虎關最猛烈之抨擊的，就是朱晦菴。其批判晦菴的理由，亦在於他之排斥釋教。曰：

> 晦菴《語錄》云：「釋氏只四十二章經，是他古書，其餘皆中國文士潤色成之。《維摩經》亦南北朝時作」。朱氏當晚宋稱巨儒，故《語錄》中品藻百家，乖理者多矣，釋門尤甚。諸經文士潤色者，事是而理非也，蓋朱氏不學佛之過也。夫譯經者，十師成之。十師之中潤文者，時之名儒，奉詔加焉者多有之矣。宋之謝靈運，唐之孟簡等也。文士潤色實爾，然漢文也，非竺理矣。朱氏議我而不知譯事也。又，《維摩經》南北〔朝〕時作者不學之過也。蓋佛經西來，皆先上奏，然後奉勅譯之，豈閑窗隱几僞述之謂乎？況貝葉梵字，不類漢書，故十師中有譯語，有度語，漢人之謬妄，不可納矣。是朱氏不委佛教，妄加誣毀，不充一笑。㊷

此言晦菴不學佛而妄加誣毀佛教、佛經之非，並言其在《語錄》中對百家所作評論有不少乖理之處，而尤以佛教方面爲然，他在上舉文字之後又曰：

> 又云：「《傳燈錄》極陋」。蓋朱氏之極陋者，文詞耳，其理者非朱氏之可下喙處。凡書者，

其文極陋，其理自見。朱氏只見文字不通義理，而言佛祖妙旨爲極陋者，實可憐愍。夫《傳燈》之中，文詞之卑冗也，年代之錯違者，吾皆不取。然佛祖奧旨，禪家要妙，捨《傳燈》，猶可言乎？朱氏不辨，漫加品藻，百世之笑端乎。㊸

此言晦菴只一味指責《傳燈錄》之文詞不通義理，而忽略佛祖之妙旨的言論，徒貽百世之笑端而已。亦即他認爲不應以淺薄的見解來批判佛教的奧旨。更曰：

我又尤責朱氏之賣儒名而議吾焉，《大惠年譜》〈序〉云：「朱氏赴舉入京，篋中只有《大惠語錄》一部，又無他書」，故知朱氏剽《大惠》機辨而助儒之體成耳。不然，百家中獨持妙喜語邪？明是王朗得《論衡》之謂也。朱氏已宗妙喜，卻毀《傳燈》，何哉？因此而言，朱氏非醇儒矣。㊹

姑且不論虎關評論晦菴的言論是否的當，但他抨擊晦菴的理由，是認爲他不懂佛理，只以膚淺的理解而竟排斥佛教；從大慧宗杲之《語錄》盜取機辨而竟又批判禪教，故認爲晦菴的這種言論不足取。

虎關既認爲晦菴不應以膚淺的佛教知識來批評釋教要旨，又言晦菴非醇儒，則他並非批判晦菴的學術內容。又，他雖研究新儒學，但並不似其他日僧那樣的大力稱美朱子之學說。㊺

四、經書論

虎關師鍊對儒家經典的意見，散見於其《濟北集》〈通衡〉之中。茲以《五經》、《四書》爲序，分別考察如下：

1.易經

自從鄭玄在其〈六藝論〉謂：「易者陰陽之象，天地之所變化，政教之所生」而加以重視，劉歆復言《五經》各教仁、義、禮、智、信之五常，將《易》置諸《五經》之首，更以之爲言五常之源，亦即說爲人的道德之根源，和宇宙之原理以後，《易經》的地位便較其他各經爲高。此一事實復與孔子之崇《易》相結合，而這種觀點遂成爲儒家之傳統。尤其宋學爲與佛教或老莊之壯大幽玄的世界觀拮抗，以建立自己之世界觀的體系所根據者爲《易經》與《中庸》，故《易經》便隨著宋學之發展而愈益受到重視。㊻職是之故，周敦頤、張橫渠、程伊川、朱晦菴等宋學大師之均有此一領域之相關著作問世，實可證明他們重視《易經》之傾向。禪雖曾給儒教與老莊思想以影響，但也受到它們之影響。因此，其傾心於宋學的禪僧們之對《易經》表示關心，乃自然趨勢。㊼這種趨勢，亦可從辨圓圓爾於南宋理宗淳祐元年（仁治二年，一二四一），自華東歸時攜帶《周易》二卷，《周易音義》一卷，《易總說》二冊，《易集解》八冊，《纂圖互註周易》一冊事獲得佐證。惟上舉各書都是宋學未興以前者。

我們雖無從得知由宋儒註釋之《易經》究竟於何時經由何人東傳日域，但從《海藏和尚紀年錄》，三十歲冬十月條所謂：

〔虎關〕師見〔一山〕〔一寧〕啓曰：「某智薄識譾，每見程、楊之《易說》，不能盡解。老師宏材博學，賴以愚所疑，合程、楊之說，深考靜究，必有所解。某他日再來，優受咳唾，萬幸。

觀之，則虎關不僅研讀程伊川之《易傳》，也還請華僧一山一寧爲其解決疑問。

虎關有關《易經》的論著不多，卻可從其《濟北集》看出他在此一領域的造詣之端倪。某日，有人請教他關於《周易》的六九之義。他說：

六九之義，諸家異說，不易枚舉也，今只以尤易明者語汝：「夫物之數也，有形者易窮也，無形者難窮，是自然之理也。夫天之數，始於一，終於九；地之數，始於二，終於十，今以九稱陽者，天之極數也，以地六稱陰者，地之中數也。何陰而稱中，陽而稱極乎？蓋無形者雖取極不窮，何也？無形故。是天之理，陽之數也。有形者取極則窮，何也？有形故。是地之理，陰之數也。是以易家取坤以中，故稱六焉，蓋用中之義，上下參互無窮，故取乾以極，故稱九焉。無形而無窮，故是六九之易，明之義也。㊽

自古以來，學者之間對稱陽爻以九，稱陰爻以六的說法雖有若干差異，卻可大別爲二：其一是：乾體三畫，坤體六畫，陽兼陰，故得其數九，陰不得兼陽，故其數六。其稱陽、陰之爻爲九六者本此。其二則爲：老陽之數九，老陰之數六，老陽、老陰皆變化。《易》以變化來占，故稱陽爻爲九，稱陰爻爲六。但虎關不承襲舊說而別立新說，亦即以極數九稱陽爻，以地之中數稱陰爻，並詳言其所以如此的理由。㊾可見他非僅對《周易》有相當之研究，而且有其獨到之見解。

2. 詩經

日本禪林之對《詩經》——《毛詩》表示關心，可由《普門院經論章疏語錄儒書等目錄》記載著《毛詩》二冊，《呂氏詩記》五冊，《毛詩句解》三冊得而知之。在此所謂《呂氏詩記》，就是宋人呂祖謙的《讀詩記》，可見在南宋時，宋學派的詩學已被日僧攜往日域。

五山禪僧之研究《詩經》者頗不乏人，而他們所閱讀者，除呂祖謙之《讀詩記》外，尙有嚴粲之《詩緝》，劉瑾之《詩集傳通釋》，永樂敕撰之《詩經大全》等。㊿虎關對《詩經》也有相當之研究。

有人問：

> 古者言：「周公惟作〈鴟鴞〉、〈七月〉二詩，孔子不作詩，只刪詩而已。漢、魏以降，人情浮矯，多作詩矣！爾諸」？51

虎關對此一問題的答覆是：

> 不然。周公二詩者，見於《詩》者耳，竟周公世豈唯二篇而已乎？孔子詩雖不見，我知其爲詩人矣。何者？以其刪詩也。方今世人不能作言者，焉能得刪詩乎？若又不作詩之者，假有刪其編，寧足行世乎？今見三百篇爲萬代詩法，是知仲尼爲詩人也。只其詩不傳世者，恐秦火耶，周公單二，亦秦火也耳，不則何啻二篇而止乎。世實有浮矯而作詩者矣，然漢、魏以來，詩人何必例浮矯耶？學道憂世、匡君、救民之志，皆形于緒言矣，傳記又可考焉，浮矯之言，吾不取矣！52

而反對「古者」之說法。亦即他認爲周公、孔子都是傑出的詩人，如果他們不會作詩，又怎能夠刪詩？其詩之所以不傳，可能爲秦火所焚之故。

虎關又認爲趙宋人評詩貴樸古、平淡，賤奇工、豪麗者爲不盡耳矣。他的看法是：

夫詩之爲言也，不必古淡，不必奇工，適理而已。大率上世淳質，言近樸古，中世以降，情僞見焉。言近奇工，達人君子，隨時諷諭，使復性情，豈樸淡、奇工之所拘乎？唯理之適而已。古人樸而不達之者有矣，今人達而不樸之者有矣，何例而以樸工爲升降哉！周公之言樸也，孔子之言工也，二子共聖人也，寧以言之工樸而論聖乎哉！53

亦即他認爲聖人順時立言，應事垂文，不能以工樸來論經，因此，該詩人之評語不合理。

3.書經

日本五山禪林之研究《書經》者，實遠較鑽研《易經》者爲少，此一事實與他們之所學以新儒學爲中心的情形言之，實爲自然趨勢。但這並不表示他們的《書經》研究毫無成績可言。例如義堂周信54，他就曾引該書以勸誡室町幕府第三任將軍足利義滿要修德爲文曰：

修德爲文，止戈爲武。武之用在安天下，不必事干戈。故武王誅紂，戢兵修文。《尚書》〈武成〉曰：「武王伐紂，乃偃武修文」是也。55

也就是說，他引《書經》〈武成〉篇之文字來勸義滿爲政必需偃武修文，要重視文治。

義堂雖肯定《書經》的價值，將其所學應用於教化世俗方面，但虎關對它的態度卻未必盡然。他說：

唐虞之間，其至德乎？〈虞書〉曰：「罰弗及嗣，賞延于世」。嗚呼！至德乎哉！降于紂，及三族；流于秦，九族，曷衰之甚乎。然事有始，物有由，雖秦之濫暴，又有由乎？〈甘誓〉曰：「弗用命，戮于社，我尚恥」。禹之舞于羽于兩階，纘以言而曰：「予則孥戮，汝曷至于茲乎？紂政之三九者基于此乎」？夫君子，愼言者也，啓之孥戮者，儆戒耳，豈有之哉！然後世之酷虐者，斯言之弊也。蓋自社戮而之孥戮，自孥戮而之三族，自三族而之九族，然則言者可不愼乎？若夫禹謨無疵，曰罰弗及嗣，如此而已，宜矣！啓之孥戮，何不思乎。若三之者，三九之族不作矣。故我言：「衰世者，自啓始」。[56]

虎關以爲〈虞書〉所言「罰弗及嗣，賞延于世」是至德的表現，對〈甘誓〉所謂：「弗用命，戮于社」，則認爲君子應愼言，而持批判態度。當有人聽到他的評語而責備他：「《書經》聖修，子何輕議」[57]時則答曰：

尊孔道者無若孟軻。軻書曰：「吾於〈武成〉取二三策而已矣」。又曰：「盡信書，不如無書」，子其不記之乎？[58]

而予以反駁。對《尚書正義》則評之曰：

《尚書正義》，孔穎達所撰。其〈舜典〉，安國注曰：「舜有深智文明溫恭之德，信充塞上下」。《正義》曰：「言充滿天地之間，〈堯典〉所謂『格于上下』是也。不言四表者，以四表外無限極，非可實滿，故不言之」。夫省言含音者，文士之常也，安國之上下者，實指天地也。謂天地者，四旁在其中，不必捨四旁而以央高取天地矣。穎達偏取天地，别言四旁，細碎之甚，還害正理。況其四表無限極，非可實滿者，不覺自語之負墮耳，蓋天有何極而可實滿乎？⑤⑨

以爲孔穎達在《正義》所註釋之文字非僅過於瑣碎，有害正理，而且不覺自語之負墮。又曰：

〈金滕〉曰：「史乃冊祝曰：『惟爾元孫，某遘厲疾』。〈孔氏傳〉曰：『元孫，武王某名。臣諱君，故曰某』。《正義》曰：「本告神云元孫發，臣諱君，故曰某也。〈泰誓〉、〈牧誓〉皆不諱發，而此獨諱之，孔惟言臣諱君，不解諱之意」。鄭玄云：「諱之者，由成王讀之也，意雖不明，當謂成王開匱得書，王自讀之至此，改口爲某。史官錄爲此篇，因遂成王所讀，故諱之」。此義不爾，何者？〈金滕〉本是周公所作。周公，臣也；武王，君也。臣諱君，故曰某。安國之註，四義順矣，穎達作曲説云〈泰誓〉、〈牧誓〉皆不諱，而此獨諱之，是引例之不當也。⑥⓪

虎關認爲孔安國所爲之解釋，其義本來很順，但孔穎達不僅予以曲解，而且所引之例亦不恰當。其理由在於：

〈泰〉、〈牧〉二誓，武王所作，不可諱發也。〈金滕〉，周公作，豈可不諱乎？鄭氏之「成王讀之」，義本甚迂也。穎達作《正義》，當辨斥之，而作佐説云：「成王改口爲某，史官錄爲此篇」。穎達之意，成王讀時，史官在傍執筆錄之。若成王讀時史氏不錄者，此篇亡失乎？何其躁甚哉！只是此篇成王讀畢，付史官，史官寫之傳世耳。若其某字，周公諱之，改發爲某，何深義之有？況安國註自順正乎。穎達爲誣，橫託鄭氏爲穿鑿，不足爲正義也。⑥①

我們姑且不論他對孔穎達所爲批判是否正確，但由上舉文字可知，他不僅對經文，就連其註疏也加以仔細過目，而有其獨到之見解。

4. 春　秋

自古以來，日本學者研究、講授《春秋》時所依據的，係以孔穎達之《五經正義》等漢唐古註爲主，惟自新儒學東傳以後，其研究此一經典者之採宋儒新說，係在南宋末年的十三世紀四十年代以後。我們從《普門院經論章疏語錄儒書等目錄》可發現除《春秋》五冊外，尙有《胡文定春秋解》四冊。此五冊本《春秋》可能爲傳統之漢唐古註本，胡文定之四冊本應是宋學派的版本。文定乃胡安國的謚號，其《春秋解》爲世人所重。由於在此《目錄》完成之前，未有宋儒新註之《春秋》出現的紀錄，故胡氏此書當爲此一方面之著作之首傳日本者。宋儒註釋之《春秋》雖於十三世紀四十年代東傳，而爲其禪林所研讀，但他們在此一領域的研究成果，似乎沒有研究其他經書那麼豐碩，此可由他們遺下的文集推而知之。雖然如此，虎關師鍊在這一方面也曾下功夫研究，有其獨特見解。曰：

《春秋左氏傳》，文辭富贍，爲學者所重。(62)

虎關此言只是稱美《左傳》的文辭富贍，對其內容仍有意見。他在上舉文字之後接著說：「其法律不嚴，往往作議者在焉」，然後以有關晉國之記載爲例，具體說明此書的記事不夠嚴密。曰：

夫晉之記於《春秋》也，隱、桓、莊、閔之間不見經焉。至僖二年始策曰：「虞師、晉師滅下陽」，〈傳〉始于隱公五年，頗可謂賸焉。……閔元年曰：「晉侯作二軍」。僖十年曰：「遂殺丕鄭祈舉及七輿大夫，左行共華，右行賈華，叔堅、騅歂、纍虎、特宮、山祈，皆里丕之黨也」。二十七年曰：「於是蒐子被廬作三軍」。二十八年曰：「晉侯作三行以禦狄。荀林父將中行，屠擊將右行，先蔑將左行」。夫晉春秋之始亂分甚矣，當莊之世，周僖王命曲沃武公以一軍立爲晉侯者，小國之儀也。至獻公漸大爲二軍，文公返國修霸業，勢蓋諸侯，故爲六國之三軍。奢譎胥攻僭端間出，嫌三軍之儀，叨六軍之制而辟名不言，改曰三行者是也。左氏記事也，不考始末矣。㊿

虎關之所以認爲左丘明不考始末，理由是：

蓋三行之名興，僖之二十八年也，曷於十年書左行共華，右行賈華乎？又，夫十年里丕之亂者，惠公之初也。惠公只用獻公二軍之制而已，未有三軍矣，況三行乎。何也？晉之有三軍者，文公之時也，若惠之世有三軍，文公被廬之蒐不可始作三軍矣。以被廬而言，惠之世不可復三，而只父之二者無疑矣。國豈二軍而有三行之名哉？若又獻、惠之世有三行，左氏不可書之於文，文之世始爲三行，惠之時不可繫於二華矣。又見其一二軍之漸來，惠之始不可有三行矣，只是左氏以文之三行名加惠之事耳。後及成三年，景公作六軍，僭王也。64

虎關雖言左氏之記事不夠嚴密，不考始末，但這只是對其記事所爲之批判，並不表示他不重視《春秋》，否認《春秋》的價值。因爲他曾說過：

文之嚴也，莫踰于《春秋》矣，不熟《春秋》而曰文者，非也。……嗚呼！聖人於文也，何其

精到此乎！然詩書者，此等之文寡矣，易《春秋》者甚多矣，學者不可苟讀矣。㊅

可證。

5. 論語

《論語》與《大學》、《中庸》、《孟子》同爲儒家哲學之大全，教人以窮理、正心、修己、治事之道。其中《論語》一書，早在三世紀八十年代，即由王仁攜往日本，被彼邦人士認爲是儒家之根本經典而受重視，成爲一般有教養的人士必讀之書，更成爲該國文教政策之準繩。職是之故，當其政府爲登用人材而舉辦考試時，除考《五經》外，也還加考《論語》。日本人士之重視《論語》，並不侷限於政府或一般俗家子弟，就禪僧社會而言，亦復如此。只因禪僧們也重視它，所以不僅對它作深入研究，也將其應用在日常的布道方面。例如：當鎌倉幕府執權（職稱）北條時賴向華僧蘭溪道隆請教爲政之道時，蘭溪即引：《論語》〈顏淵篇〉的「政者正也」之一段文字告訴他：「政者正也，所以正文物也，文物不正則世不治，故古聖賢先正人文而以治國矣」。㊅而海會寺住持季弘大叔解釋《論語》一書的重點之一的「仁」時所謂：

仁也者何？人心也。濂洛諸君子以仁、義、禮、智爲人之性，前人未發之鑰鍵也。紫陽朱夫子之言曰：「仁者愛之理，心之德」，斯言盡矣。㊆

因《普門院經論章疏語錄儒書等目錄》記載著朱晦菴的《論語精義》三冊，可見宋儒新註之《論語》亦可作爲旁證。

語》，至遲在十三世紀四十年代初期已東傳日本。日本禪林重視《論語》的情形雖可由上舉文字推而知之，但虎關對它的看法如何？曰：

吾謂《論語》不經聖刪，諸徒交記，其文大醇而小疵。然則魯人誇國而矯聖言乎？若又孔子一時之戲謔，而贋徒闇識布簡牘耶？[68]

亦即他認爲《論語》的文字未曾經過孔子刪改，乃係其弟子們交相記載者，故「其文大醇而小疵」，而對它持批判態度。又曰：

《論語》曰：「齊一變至魯，魯一變至道」，吾以爲非孔子之言矣。何也？我見齊、魯之興也且尚之始，聖賢之治，非無降殺矣！而至于春秋之時未有優劣焉，然齊猶有桓公樹霸業焉，魯未能霸乎？其餘主者互有失得，魯遂未勝齊矣。……田恒之弑簡公者，齊之事也，意如之逐昭公者，魯之事也。弑之與逐，雖不易優劣，而昭公之死乾侯也，季氏之畜害深矣。因此而言，齊、魯之衰，匹也，未有差降矣，唯以孔徒一時道藝之學有在下之贏耳，是齊之一變而所以爲魯乎？下者且隨之，上未焉矣耳。以魯變道而爲言，豈聖人之者發茲闊大之吻哉！[69]

更曰：

仲尼猶云：「前言戲之耳」，若魯變之言出聖吻者，前言戲之耳之流乎？或曰：「道有大小」，子之言魯大道乎？若又小道也，不必罪聖言焉。又，春秋之時無齊、魯之差者過矣。魯只逐君而已，齊已行逆乎？豈非差乎。況齊數世而有和篡者，恆啓之端也，魯無是等之悖醜乎？曰：「

不爾。子之大小道之言，似而不是矣。吾實言大也，若又小者亦孔多矣，猶何言哉？聖言或止於小魯又不必勝矣，齊又不爲無小道矣。又子以逐弑爲差者惑也，蓋春秋弑多焉，然不若逐之甚矣，何也？弑者貸匿之事，微者或行之，邴閻之弑齊懿公，俘閽之弑吳餘祭等也。逐者不也，昭公與平子鬭不克而出，是所謂逐也。其後挾齊、晉而入不能也。平子之陰謀多矣，平子之於魯也，非田恒之於齊之比矣，只是桓康子無復平之權後益微，故魯無簒焉。田氏恒之後彌張，故至和而覆滅」。⑩

因此，虎關以爲子孫之強弱與其父祖之臧否無關，「子之言非通論矣」！

6. 孟子

由於《孟子》有同意「易世革命」思想，故長久以來爲日本政治人物所疎遠，惟隨著新儒學之透過禪僧之弘揚而對此一領域的學術研究逐漸開展以後，日域人士之尊崇它的風氣逐漸昂揚，不僅對它深入研究，且有相當之心得。⑪

儒家道術，可謂人生哲學，由一身至一家，由一家至一國，由一國至天下。其應行之道，應取方法是甚麼？曰：修身、齊家、治國、平天下。人與人之關係，則有君臣、父子、夫婦、兄弟、朋友五種。行乎此者，則可達天下之道。⑫人能齊家，則可治國，五倫，家得其三：父子、兄弟、夫婦。父慈子孝，兄友弟恭，夫婦和合。推而廣之，慈者所以使衆也，孝者所以事君（國）也，弟者所以事長也。⑬東沼周曮根據〈告子章〉之一節曰：

夫堯舜之道，孝弟而已。夫堯舜之道，如天之無所不覆，如地之無所不載。……而孟軻稱之曰孝弟，何哉？蓋人道莫先乎孝弟。堯舜之所以堯舜，唯此而已。[74]

夢巖祖應則讚美孟子，認爲若無孟子，則「千載因何挑日星」？[75]且言：「孔子之後有孟子，先儒之言不誣矣」，[76]而贊同宋儒之孟子正統論。

東沼、夢巖等僧侶對《孟子》的看法雖如此，虎關師鍊的見解又如何？他曾論孟子見齊宣王時引晏子之故寔謂：

齊宣王問孟子：「齊桓、晉文之事可得聞乎」？孟子對曰：「未聞也」。後宣王見於雪宮，孟子引晏子語景公事告之。宣王大悅。嗚乎！孟子可謂善教者矣乎。蓋孟子始見宣王，未知宣王王霸才，故先欲進王業。佯曰：「桓文事，未聞也」。孟子豈不知桓文事哉！庶或引王入王域，故曰未聞也。漸見宣王無王才，不得已，雪宮宴引晏子言教宣王。孟子之於宣王也厚矣乎，臣之思君之深未有也。夫仲尼之徒，無道桓文事，寧下景公乎？況晏子乎？然宣王之不才也不忍棄，猶引晏子言教之，然則大賢之教，救世思君者，如孟子者鮮矣，爲人師者，可不爲執軌格乎？[77]

此言孟子能夠應時隨人，採便宜方式來教導人家，認爲像孟子之有救世思君之心懷，從事大賢之教者不多，更認爲爲人師者應以之爲軌格，而稱美身爲教育家的孟子。

國以民爲本，政爲民而設，孟子因此告齊宣王：「保民而王，莫之能禦也」。宣王殺牛釁鐘，因「不忍」其觳觫，若無罪而就死地，故以羊易之。惻隱之心，仁之端也，爲政者但求有此「不忍」之心，乃能發於「不忍」之政。牛羊原無差異，但君子之於禽獸，見其生，不忍見其死；聞其聲，不忍食其肉，孟子以爲既有此「不忍」(仁)之心，雖屬仁術，亦發保民之端，可以旺也矣。⑱虎關對此事則有所批判，認爲「孟子之論未盡矣」！曰：

齊王以羊易牛，孟子以爲仁術，蓋君子之心，忍其未見，不能忍其見也。予謂孟子之論未盡矣。夫人君之行刑也，有司存焉，豈躬自之乎？若以不見恣刑，我懼其濫焉。韓子醇乎之言恐未也。曰：「然則何如」？曰：「以小大可也，蓋小大者，朝廷官爵之次也」。若如予言，君子之刑，庶或愼之，又有差而無濫焉。孟子之見，未見者雖爲仁端，其弊猶濫矣，予之小大者，有仁而無濫矣！⑲

虎關不僅批判孟子以齊王之以羊易牛爲仁術，更批判〈盡心章〉所見瞽瞍殺人論曰：

孟子桃應問曰：「舜爲天子，皐陶爲士，瞽瞍殺人，如之何」？孟子曰：「執之而已矣」！「然則舜不禁與」？曰：「夫舜惡得而禁之？夫有受之也」。「然則舜何如」？曰：「舜視棄天下，猶棄敝蹤也。竊負而逃，遵海演而處，終身訢然，樂而忘天下」。予曰：「美矣哉！問乎？惜哉！答之不盡乎，請嘗試論之，孟子只言法，而不言道矣，言介而不言治矣。皐陶之執之，與舜之不禁者法也，舜之敝蹤天下，竊負逃樂者介也，介之與法者，豈聖人之本乎哉？故曰：非至道治德矣。夫道者，法之本也；法者，道之枝也，世寧有傷本而保枝之理乎哉？孟子只知舜之棄天下之無欲而不知棄天下之不仁矣。何也？舜之爲君也，民被仁焉，舜之外也，民受害焉。無欲者，一身之介也，不仁者，天下之害也。孟子曷崇巢由之介，而不崇堯舜之治焉？重申、商之法，而不重唐、虞之道焉乎哉」？⑳

此乃非難孟子之態度不夠謹愼，並以懷疑的態度謂：「予反覆孟子之言也，七篇之中多言道矣，特此章先法後道者，蓋有激乎」？㉑

五、史・子・集論

1.史記

日本禪林之究竟從何時開始對中國正史表示關心，或經由甚麼途徑，使此一方面之研究開展起來，已不可考。前舉《普門院經論章疏語錄儒書等目錄》雖臚列許多外典書目，卻未見《史記》以下各種史乘。由此觀之，在禪宗東傳之際，彼邦禪僧對外典所表示之關心，可能都集中於經學、文學而無暇顧及史學，直至被譽爲「教乘諸部、儒、道、百家、稗官、小說、鄉談、俚語，出入泛濫」㉒的浙江普陀山僧一山一寧，於大德三年（正安元年，一二九九）奉元成宗之命持詔東渡招諭日本而竟不歸，方纔造成他對僧傳表示關心之契機，㉓從而旁及於中國正史。

在日本初期禪僧中對中國正史作深入研究的，應是被譽爲通曉「班固、范曄、太史紀傳、三國及南北八代之史，隋、唐以降，趙宋之紀傳」的虎關師鍊。虎關對《史記》的看法是：「經世之公典也」㉔而給予很高的評價。且言：「予詳太史公文，劉向、揚雄以下皆爲良史者亦宜焉」，㉕而認爲「遷也博采諸記，察其志，爲異俗之言亦佳矣」。更認爲「太史公自古號爲良史」而稱讚司馬遷在史學方面的才華。⑯雖然如此，他對《史記》的內容卻有所批判，認爲其內容「可疑者多矣」。⑰曰：

〈仲尼弟子傳〉云：「公孫龍，字子石，少孔子五十三歲」。〈平原君傳〉云：「虞卿爲平原君請封，公孫竟聞之，夜駕見平原君」云云。余以〈六國年表〉考之邯鄲之役，周赧王五十八年，即趙考成王九年，昭王五十三年也。孔子以魯哀公十六年卒，即周敬王四十一年也。自孔子卒，至赧王五十八年，二百四十二年也。龍者孔門之中尤少者也，而孔子卒時，思不下二十歲耳。然者說平原時已二百六十餘歲時，豈有此事乎？是歲時之可疑之者也。又，孟子附見傳言鄒衍云，其言不經。又言不軌而〈平原君傳〉終云及鄒衍過趙，言至道，乃絀公孫龍，豈言之不經、不軌者，可言至道乎？雖云互文，是詞章之可疑者也。⑱

而認爲其文章有前後矛盾或令人產生疑慮之處。當有人問他：「或云子之言是也，然太史公之文無改乎」時，即答曰：「至字作其字，語意通暢耳」，亦即只要將文中「至道」之「至」字改爲「其」，文章便能順暢而語意分明。

又當他看到〈李斯傳〉贊語所謂：

人皆以斯極忠而被五刑死，察其本，乃與俗議之異，不然，斯之功且與周、邵列矣。

則批判之曰：

嗚呼！遷也，何容易而發言乎？夫斯之謀於始皇而并六國，及立議施令、頌德、記功者，皆詐狙權譎諂曲邪之迹，大率與趙高不相遨矣。所謂其言忠者，唯是與高相軋時，以沮高假於忠，託之纔耳，世俗不委爲極忠焉。遷也博采諸記，察其本志，爲異俗之言亦佳矣。然斯之行，縱僻此一事可列周、召乎？夫周、召之輔武、成也，萬代之典法也。斯之相始，二也，未見一事之近道者，然則以斯比周、召者，其論迂者甚矣。(89)

而認爲司馬遷之將李斯的操守與周公、召公相比，是迂闊的作法而不合道理。

虎關非但認爲將李斯與周、召二公相比爲迂闊，而且還說：

予讀《史記》，考〈武紀〉，宛似一箇巫祝也。又見《漢書》〈武紀〉，可謂文明之主焉。何以一主而二書相戾如此乎？蓋《史記》〈武紀〉亡，褚少孫補之。褚氏才薄，只取〈封禪書〉綴緝，故如巫祝傳也。班固，漢人也，備聞武帝事，又能尊其君，故執史筆者可不愼乎。不幸而上瞽史之筆者，爲可惜矣。(90)

可見他認爲《史記》、《漢書》的〈武帝紀〉所記內容之所以有很大的差異，其因在於前者係由才薄的褚少孫所補作，後者則爲由同一時代，既備聞武帝生平事蹟，且又尊其君王之班固執筆之故。所以，他認爲執史筆者，在下筆之前，都必需詳考史實，愼重從事，萬一有人上瞽史之筆，就要吃大虧。由此觀之，虎關不僅認爲史家應重視史實，也還應顧及史料的價值，如此才不致失去史家應守之分寸。

至於司馬貞之非難太史公在《史記》之每一篇末附「贊」語時所謂：「君臣百行不能備論終始，乃取一事，引一奇，爲一篇〈贊〉，誠所不取，亦明月之珠，不能無類矣」。(91)則對其意見表示不以為然。曰：

史遷豈不能備論終始耶？蓋史傳贊自有體耳，若如小司馬言，是即論也，非贊矣。贊、論異體，不可混而已。㉜

而認為「贊」與「論」的體裁原本有異，不可混為一談。那麼，「贊」、「論」究竟有何區別？

史傳贊體可得聞乎？曰：子不見《左氏傳》之「君子曰」乎，逢其一奇事，必措詞焉，只左氏遇處設之，史遷施之尾耳。蓋太史公作《史記》時立為法耳，不必備終始者，丘明之遺意也矣。㉝

而說出它們兩者之間的差異。據此以觀，虎關非僅對《史記》有深切的瞭解，也還顧及其撰著的體例。

2. 莊子

日本禪林所涉獵之漢籍，除佛教經典與儒書之經、史、子、集外，也及於以老莊為始之諸子百家和有關神仙思想方面的。由於聖德太子的《維摩經義疏》引用《老子》〈撿欲章〉第十二、〈立戒章〉第四十四及〈撿欲章〉第四十六之文字，而其所制訂之「憲法十七條」則引用《莊子》語句，故可知老莊之書至遲在七世紀初已東傳日域，且已為彼邦人士所熟讀、引用。如據相傳於平安時代初期完成的《日本國見在書目錄》所記，則其有關《老子》的著作有河上公註二卷，王弼註二卷，周文帝註二卷，玄宗御註二卷，賈大隱《述義》十卷，及其他共約二十種之註釋書。有關《莊子》者則有司馬彪註二十卷，郭象註三十三卷，王穆夜《義疏》等約十餘種，可見此一方面的圖書在八世紀末已大量出口到扶桑。因此，我們可從而推知，老莊思想對日本知識分子的影響可能相當大。又如據《普門院經論章疏語錄儒書等目錄》的記載，辨圓圓爾曾帶回《直解道德經》三冊，《老子經》二冊，及《莊子》一部，《莊子疏》十卷，可見他對此一領域的學問也表示關心。

至於日本禪林之曾利用老莊思想來布教事，當可由一山一寧以〈老子〉爲題所賦：「先天地而有生，極玄妙而莫傳。不遇得關伊喜，誰可授五千言」？⑭之根據《老子》〈象元章〉第二十五所謂：

有物混成，先天地生，寂兮寥兮，獨立而不改，周行而不殆，可以爲天下母。吾不知其名，故字之曰道，強爲之名曰大。

來解釋相對未分以前之絕對，亦即禪所謂父母未生以前之本來面目的事實獲得佐證。⑮

夢窗疎石則雖認爲莊子等人不知人生受前世業因之影響，而認爲貧賤富貴出於自然，但佛教並不作如是想，⑯而排斥莊子之說，但卻由此可知他對《莊子》有相當之研究。就虎關師錬言之：

或問《莊子》〈天下篇〉曰：「『一尺之捶，日取其半，萬世不竭』」。其下無郭註，英疏又不皦，如子解之乎」？答曰：「疏能解之，只詞未達耳。夫以名責物，名是而物非者，蓋名與實如當而卒否者，所以有之也。一尺之捶，前日取其半，翌日五寸捶也。若用如當之名，舍卒否之實，雖是寸捶，常有尺名，不顧終之實，只呼始之名，萬世取之，豈有竭乎」？曰：「取其半者，每半取半乎」？曰：「不然。尺捶已取半者，其不取之半存焉。若每取其半存者，雖萬世其半常存耳」。⑰

由此問答觀之，他不僅對《莊子》有相當之研究，而且還能把「註」、「疏」未能解釋清楚的文字作詳細的敍述。又當有人問莊子立道是否爲自然時，他的回答是否定的。

> 或曰：「莊生立道爲自然爾乎」？曰：「不。道，非自然，自然，德也。莊生不知道，故以德爲道而爲言也。夫物無自然，自然，德也。德隨物而有。隨物而有者，豈自然乎」？[98]

虎關認爲莊子立道非自然。其理由在於道是德，非自然。因物無自然，所以自然就是德。德既隨物而有，則那就是自然。因此，他便以金、砂爲例作更進一步之說明曰：

> 今其金、砂合淘，沙在上，金在下者自然也。金重砂輕，金之重，金之德也。因此而言，德也，非自然也。若言自然者，砂又可在下，實不爾也。蓋砂無重德也，凡物皆有各德，以德故有自然用，非自然之自然也。我教中有言：「人中造作天上自然」，蓋福業有深淺，故果報有造作自然之異矣。天上擇雖自然，亦是舊業之所作也，以三世而言，非自然也，作業之德也。鴉鷺之羽，荊棘之刺，各德也，非自然也。[99]

虎關對道的解釋雖如上述，但值得注意的是：他認爲《莊子》的文章係剽竊《列子》之文而加以潤色者。曰：

> 始，予讀《莊子》，愛其玄高、奇廣，以爲諸子之所不及也。後得《列子》，向之玄高、奇廣，皆《列子》之文也，只周加潤色，故令我愛其文耳矣。夫文者，立言者難矣，好言者易矣。蓋《列子》先而《莊子》後，故《列子》之文，簡易者立言而已，周秉擷而修飾焉，故周文奇艱婉麗。或曰：「或曰莊周識高才博，豈必采于禦寇乎？只其所載事偶同乎」？予曰：「不然。莊

子已立〈列禦寇〉一篇，不爲不見《列子》，多收其事，周不廉矣。中世以來文章凌遲，沿襲剽竊，出己者鮮矣，《莊子》者，中古剽竊之文乎」？⑽

亦即虎關認爲莊周的文章是剽竊列禦寇之著作而成篇，用嚴厲的言詞加以批判，且旁及於其他作者，而他的評語之是否恰當，則有賴大家之公評了。

3. 韓文

虎關對主張「文以載道」、「去陳言」、「文從字順」，⑽及重視人在政治上、社會上的地位，而將其原理求之於先王之道、孔子之教的韓昌黎之評價相當高。他對昌黎〈南海神廟碑〉文所謂：「南海神次最貴，在北、東、西三神河伯之上」，曰：

> 嗚呼！韓公爲文用字，格體嚴正如此，蓋作文者，先須知正助，四方之次。東雖在初，今以南爲主，當以北爲配，故以北爲正，置東西上也。旨哉！韓子之言乎！雖一字不苟下，庶或後之君子辨爲文之正助焉。⑽

而對韓文之格體的嚴謹表示無上的敬佩，並認爲它可做日後學文者之準繩。

韓文究竟於何時東傳日本，雖難於查考，惟就《普門院經論章疏語錄儒書等目錄》中有《韓文》十一冊（不完整）情形觀之，至遲在南宋末年已傳至日域，而虎關之曾苦讀韓文，可由下舉文字看出其端倪。曰：

> 本人（虎關）初不識韓柳文，〔祖〕圓規菴秘二集。錬虎關少年，有時菴以韓〈進學解〉一篇

出示之。關坐臥、經行、圊溲之間，貼壁，張天井，辛苦訓開。[103]

文中所謂祖圓規菴，就是京都南禪寺第二世，虎關從規菴學韓文而曾下許多功夫。又，「張天井」的「張」就是張貼，「天井」則爲天花板，將韓文貼在天花板上，以便在仰臥時閱讀。虎關之推崇「文起八代之衰」的韓愈，及他在古文復興運動上的功績，除上舉〈南海神廟碑〉文之評語外，可從下列文字作更深一層之瞭解。曰：

> 夫文者，有散語焉，有韻語焉，有儷語焉。散語者，經、史等文也，韻語者，詩、賦等文也，二語共見虞、夏、商、周以來諸書焉。儷語者，表、啓等文也，出于漢、魏之衰世矣。劉子曰：「文章與時高下」，因此而言，儷語卑矣。漢末以降，三國、兩晉偶語，至南北朝尤盛焉。唐興而改南北之弊，故斥楊、王、盧、洛之儷語，復韓、柳之古文。古文者，雅言也，雅言者，散語也。唐亡而爲五代，又用偶語焉。宋興而救五代之弊，故又斥西崑之儷語，復歐、蘇之古文。故知散語者行於治世，儷語者用於衰代焉。又夫散語，有韻，有偶；韻語，有散，有偶；儷語，間闕焉。崇古文，卑六四是也。[104]

亦即他認爲在治世，大家都作散文，在亂世，則盛行儷體。因此，他建議藤丞相謂：

> 輔政化，貴典墳，振頹綱，拯冗跡，況茲文弊在其所好乎。因從容諭明主，使天下學古文，斥四六，跨漢、唐，階商、周，寧非文明之化興于當代乎。[105]

由於他認爲散文優於儷體，所以建議日本文士也應學散文，而虎關之重視韓文事，可由下文所謂：

> 始，予讀韓文李漢〈序〉，至「洞見（視）萬古，愍測（惻）當世」，以爲斯言不可容易而發矣。漢，門人也，豈溺其師邪？漸至〈進學解〉「尋墜緒之茫茫，獨旁探而遠紹。障百川而東之，廻狂瀾於既倒」，掩卷嘆息，漢之言不浪出，可謂盡其師矣。凡唐人文中豈有此志氣邪？縱有志氣，豈有操行邪？縱有操行，豈有成文之語邪？縱有成文，又豈有門人之系其文而不蘄言邪？然則《新書》所謂「泰山北斗」之句，不爲過耳。[106]

獲得證明。當虎關讀韓文李漢〈序〉時，雖認爲漢所謂「洞視萬古，愍惻當世」爲溢美之詞，惟當他讀〈進學解〉以後，不僅認爲李漢之言並無過當，更認爲其文有如泰山北斗，仰之彌高。

如前文所說，韓昌黎重視人在政治上、社會上的地位而將其原理求之於先王之道，孔子之教。故曾上書諫迎佛骨，又曾作〈原道〉等文排斥佛教，認爲在道德之抽象詞語——虛位之下，不許有思考個人的佛與道。如以虎關之譏排佛的朱晦菴爲非醇儒的觀點來衡量，則：

> 或曰：「子釋氏也，於韓當有所辨焉，何不顧言乎」？予笑而曰：「子未知焉，焉能知吾乎」？[107]

韓愈是著名的排佛者，按道理，虎關也應對他有所批判才對，但他不僅未批判他，反而稱讚不已。所以方纔有人針對此事問虎關，惟虎關卻一笑置之。由此，當亦可看出他對昌黎之傾倒，與其文學僧之性格。[108]虎關之稱美昌黎，除上舉文字外，也曾說過：「予愛退之聯句意雄奇，……始知韓聯圓美渾醇」。[109]由於對韓文五體投地，故對其排佛也就不予計較了。

4. 東坡詩文

在宋代衆多文學家中最受日本禪林推崇的，應爲在文章方面繼承韓愈、柳宗元之復古文，在詩方面繼承李白、杜甫之風格而別開高雅瀟灑之意境的蘇軾。因《普門院經論章疏語錄儒書等目錄》記載著《注坡詞》二冊，《東坡長短句》一冊，可見蘇氏作品也在禪宗東傳之初就已傳到日本。由於東坡之詩詞含有禪僧們所崇尚之自然觀或禪旨，所以使他們對其作品有所偏愛而加以應用。例如將曹洞宗傳至彼邦的希玄道元之《正法眼藏》〈谿聲山色〉章，就是根據東坡「谿聲便是廣長舌，山色無非清淨中。夜來八萬四千偈，佗日如何舉似人」之句而立論。其含有即身即佛，自己即佛之禪旨的「不識廬山眞面目，只緣身在此山中」之句，及將禪之悟了同未悟之境界作詩的表現之「到得歸來無別事，廬山煙雨浙江潮」之句，則爲禪僧們所愛吟誦者。[110]東坡這種含有禪意的作品，當是使他們喜愛的原因之一，至於東坡之曾參浙江徑山的佛印了元，則可能使他們對東坡產生更進一步的親近感。[111]因此，日本中世禪林之研讀東坡詩文者既多，講授其著作者亦復不少，從而產生「詩抄」之類的作品。例如：惟肖得巖的《東坡詩抄》，大岳周崇的《翰苑遺芳》，嚴中周噩的《東坡詩抄》，江西宗派的《天馬玉津沫》，旃室周馥的《翰林殘稿》，瑞溪周鳳的《脞說》等是。[112]

當時的日本禪林，除東坡詩、詞外，對其文集也有所涉獵。例如《蔭涼軒日錄》，卷二，文明十八年（明憲宗成化二十二年，一四八六）三月二十八日條所載，京都相國寺蔭涼軒負責人之從室町幕府藏書室取《東坡文集》二十冊，置於東求堂書院以供幕府將軍足利義政閱讀；《鹿苑日錄》明應七年（明孝宗弘治十一年，一四九八）正月二日條，八年五月二十一日條，分別記載著景徐周麟邊讀邊玩味《東坡大全》而加上朱點，並根據東坡文作〈彥龍知藏遺稿序〉，及萬里集九之曾經講完《東坡集》二十五卷，且著《天下白》一書，就是最佳例證。[113]

虎關雖與敬重韓愈、柳宗元、歐陽修一樣的敬重蘇軾，惟對東坡的爲人與言行卻持批判的態度，認爲其言不醇，下筆時，遣詞造句有欠斟酌。虎關所以批判東坡之言不醇，肇因於東坡〈論學校貢舉狀〉有「使天下之士，能如莊周齊生死，一毀譽，安貧賤，則人主之名器、爵祿所以礪世摩鈍者廢矣」之句，故曰：

坡公道德、文章爲趙宋表帥，然言之不醇也，往往而在。夫道者理也，迹者事也。儒之斥老莊者迹也，其道不多乖矣。有仲尼之質而言玄虛者老莊也，有老莊之質而言名教者仲尼也。今其宋之朝士若如莊子，而死生毀譽，富貴貧賤皆一之者，不啻致刑措也。垂衣裳天下治者可跂足而待，何世之可勵？何鈍之可摩之有乎？[114]

所以他認爲人君之名器、爵祿係設於下世而非上世。下世有志於治事者，乃設學校，定貢舉，庶得賢士以復上世，但「今坡公言天下士如莊周，人主權無所用，如坡志，施威權，弄人民者，人主之道立焉」。[115]「世復樸，人歸醇者，人主之道亡焉。如此豈古先帝王之道乎」？[116]因此，他復認爲：

明王之設教而置挍舉者，急得聖賢。然聖賢不易得也，不得已而建爵祿，而勵磨斯民，而令至聖賢也。若夫挍舉之中得一如莊周、李耳者，猶可翼朝政，至康平，況數人乎。坡恐人主失權，忌朝廷得人，何乎有璺於斯好攻劑淑氣之至也，人人和平矣。沴氣之至也，人人疾瘵矣，彼璺喜沴氣，嫌淑氣，何乎淑氣之時攻劑之不行也？不仁哉，壂乎，坡之言鄰矣。117

虎關不僅認爲東坡〈論學校貢舉狀〉的內容有問題，就連他的諡號文忠，也認爲與其平生作爲不相符。其因在於杭州惠因院僧淨源法師於北宋神宗之元祐年間（一〇八六～一〇九三）圓寂時，高麗義天和尙曾遣其侍僧壽介等持祭文來祭弔，並向宋廷獻方物。因此，頗獲神宗之優遇，致耗鉅額公款，而當時臣僚無不以此爲患。東坡乃上疏曰：

臣體問得惠因院亡僧淨源本庸人，只因多與福建海商往返，故商人等於高麗國中妄有談說，是致義天遠來從學。118

虎關對東坡此一奏疏的內容頗有微詞，認爲他爲節省公帑而立議沮厚禮的本意雖佳，然批評淨源「本是庸人」，未免過分。因爲如據淨源法師的傳記，則他曾受華嚴於承遷，學合論於明覃，又移惠因等至數刹開啓講場，而被時人譽爲華嚴中興教主。職此之故，義天方纔不遠千里的來華問道，而宋神宗這才以揚傑爲館伴，使淨源授法。由此觀之，淨源是有道之僧侶，係學行俱佳的高僧，但東坡竟說他是「庸人」，實有違事實，此乃「道德文章爲趙宋師表」的東坡不應發出之言論。

或曰：「昔孟公綽爲趙魏老者則優矣，不可以爲滕薛大夫。源師道合夷商者宜矣。蘇公博識偉才，見爲庸人，何過之有」？曰：「不然。坡若指源之義學爲庸人，且恕焉。雜華宗至宋而微矣，源師補苴罅漏，得中興之稱。夫興宗補救，不止義學而已。坡文者奏議也，非一時論譯也，誣有道士託道於夷商，寓名於財利，以庸人而罪之，告至尊而播之。嗚呼！擧善而聞人主者，古忠臣之職也，坡公掩賢，文忠之謚不全乎」？⑲

由此觀之，虎關之所以認爲東坡之謚號文忠與其操守不符的原因，在於將興宗補教的高僧誣爲庸人而罪之，告至尊而播之。這種言論不僅誣蔑有道之高僧，且未舉他人長處以聞於君而有虧人臣之職守。所以東坡之詩文在東瀛雖享有令譽，卻因他之〈論學校貢舉狀〉，及在其奏疏中誣指淨源爲庸人，致受虎關嚴厲的批判。

六、結　語

虎關師鍊有關中國學術研究所涉範圍非常廣泛，除儒學外，諸子百家之書也都過目而每一領域都有相當造詣，惟在此所考察者，只不過其中較重要者而已。

虎關認爲在諸子百家中，只有《荀子》所論者，與佛教之六根論⑳相符合，故給予很高的評價。㉑對道家則從大乘佛教所謂「大法無不可思議」之立場，認爲它有奇瑞不可思議，因此便以之爲怪妄，㉒至其書，則亦持否定態度。㉓

虎關又認爲世人雖以唐玄宗爲賢主，在他看來只是豪奢之君，兼諳於知人，其所厚者婦女、戲樂，所薄者爲文才、宮職。㉔司馬光則因不好佛老，故不得中道；不學佛書而只以凡心議聖境，不學佛法而謾爲議，是可笑的。㉕至於王安石，則將他與王文海作比較，然後從正面加以評論曰：

詩文之品藻甚難矣，昔王荊公謂山谷曰：「古云：『鳥鳴山更幽』，我謂不若『不鳴山更幽』。故鍾山即事落句云：『茅簷相對座終日，一鳥不鳴山更幽』。苕溪胡氏云：『王文海云：鳥鳴山更幽』。」⑫⑥

並且下斷語曰：

荊公不及文海者遠矣，大凡物相兼而成奇，其奇多矣；不相兼而奇，其奇鮮矣。文海之句，即動而靜也；荊公之句，唯靜而已，其奇鮮矣哉。⑫⑦

而認爲王荊公之詩的意境沒有王文海的那麼高。

得在此附帶一提的就是：虎關所閱讀的範圍雖然非常廣泛，但在其所著〈通衡〉中卻無法看到他對《禮記》、《大學》二書所發表之任何文字，其因如何，實無從查考。就《中庸》而言，也只說：

《中庸》云：子路問強。子曰：「國無道，至死不變，強哉矯」。予見子路死衛難，可謂守中庸矣。⑫⑧

而僅對子路之爲人作簡短的評論，並未對該書內容表示他的看法。

〔註釋〕

①：中巖圓月，《東海一漚集》，卷三，〈與虎關和尚〉。

②：日本在大化革新（六四五）以後，在中央設大學，由博士一人總攬教授，以儒教經義爲其主要教授內容而兼紀傳與文章。後來在元正天皇（七一五～七二四在位）時置文章博士，聖武天皇（七二四～七四九在位）改此制，以

大學博士爲明經博士，使之專講經義，使文章博士專掌文章、紀傳。結果，文章漸盛而經義則出現式微徵兆。在大學博士一人時代，其儒學不出實用範疇，而猶不出儒教之蘊奧，惟在設明經博士以後，其經義墨守唐制而立家法，除註疏文字外，不攙雜一切異說，甚至連訓點亦有家法，秘而不傳與他人。所謂訓點，就是日式句讀。

③：內大臣，位於左、右大臣之下，職司太政官的政務。相當於正二位。設於天智天皇八年（六六九）。

④：支伯與許由，都是舜擬讓天下之對象，但俱未接受。

⑤：明經，在律令體制下之大學寮的四學科之一，亦即修習經學的學科。

⑥：一山一寧（一二四七～一三一七），宋台州臨海縣人。元成宗大德三年（正安元年，一二九九），奉命持詔東渡招諭日本而竟不歸，鎌倉幕府執權（職稱）慕其道德與學識，乃迎住於鎌倉建長寺，以後歷住鎌倉圓覺，京都南禪諸寺。博學而對宋學有很深的造詣，亦擅長書法。

⑦：高師直（？～一三五一），日本南北朝時代（一三三六～一三九二）武將。足利尊氏之執事。隨尊氏與南朝作戰而使北畠顯家、楠木正行等敗亡。因功參與幕府中樞。擁立足利義詮而爲執事。後來因與尊氏之弟直義作戰見敗，落髮歸順而於返回京都途中，與其一族同爲上杉能憲所殺。

⑧：虎關師鍊非常重視日本國體，尊崇其皇室，故高師直暨叛旗的行爲，當非其所能夠容忍者。參看《元亨釋書》，卷一七，〈王臣論後序〉。

⑨：本節據足利衍述，《鎌倉室町時代之儒教》（東京，有明書房，昭和四十五年五月），頁二一四～二一七立說。

⑩：同前註。

⑪：《論語》〈為政篇〉云：「子曰：『為政以德，譬如北辰，居其所，而衆星拱之』。」

⑫：《大學》〈傳之二章〉云：「湯之〈盤銘〉曰：『苟日新，日日新，又日新』。〈康誥〉曰：『作新民』。《詩》曰：『周雖舊邦，其命惟新』。」

⑬：《孟子》〈離婁章〉，上云：「孟子曰：『求也為季氏宰，無能改於其德，而賦粟倍他日。孔子曰：求，非我徒也，小子鳴鼓而攻之，可也。由此觀之，君不行仁政而富之，皆棄於孔子者也。況於為之強戰，爭地以戰，殺人盈野，爭城以戰，殺人盈城，此所謂率土地而食人肉，罪不容於死。故善戰者，服上刑，連諸侯者次之』。」

⑭：虎關師錬，《濟北集》，卷第十五、〈論〉，二，「李斯論」。此《集》收錄於上村觀光編，《五山文學全集》，第一卷（京都，思文閣，昭和四十八年二月）。

⑮：陳式銳，《唯人哲學》（廈門，立人書報社，民國三十八年一月），頁一二四。

⑯：《荀子》〈彊國篇〉。

⑰：同前註。

⑱：《論語》〈子路篇〉云：「仲弓為季氏宰，問政。子曰：『先有司，赦小過，舉賢才』。」

⑲：《孟子》〈梁惠王章〉，下云：「孟子見齊宣王曰：『所謂故國者，非謂有喬木之謂也，有世臣之謂也。王無親臣矣！昔者所進，今日不知其亡也』。王曰：『吾何以？識其不才而舍之』？曰：『國君進賢，如不得已，將使卑踰尊，疏踰戚，可不愼與？左右皆曰賢，未可也；諸大夫皆曰賢，未可也；國人皆曰賢，然後察之，見賢焉，然後用之。左右皆曰不可，勿聽；諸大夫皆曰不可，勿聽，國人皆曰不可，然後察之；見不可焉，然後去之。左

右皆曰可殺，勿聽；諸大夫皆曰可殺，勿聽；國人皆曰可殺，然後察之；見可殺焉，然後殺之。故曰：國人殺之也。如此，然後可以為民父母』。」

⑳：虎關師錬，《濟北集》，卷第十五、〈文帝論〉。
㉑：同前註。
㉒：同前註。
㉓：景徐周麟《翰林胡蘆集》，第九、〈容安齋記〉。
㉔：虎關師錬，《濟北集》，卷第十一、〈詩話〉。
㉕：同前註。
㉖：同前註。
㉗：同前註。
㉘：芳賀幸四郎，《中世禪林の學問および文學に關する研究》（京都，思文閣，昭和五十六年十月），頁二六四。
㉙：同註二四。
㉚：惟肖得巖，《東海璚華集》，卷一，〈琴書之樂齋圖敍〉。
㉛：《書經》〈虞書．大禹謨〉。
㉜：《論語》〈堯曰篇〉云：「堯曰：『咨爾舜，天之曆數，在爾躬，允執其中，四海困窮，天祿永終』。」
㉝：虎關師錬，《濟北集》，卷第十五、〈論〉，二，〈則天論〉。

㉞：同前註。

㉟：同前註。

㊱：虎關師鍊，《元亨釋書》，卷二，〈榮西傳〉贊語。

㊲：羅整庵，《困知記》，卷二云：「兩程子早歲皆嘗學禪，亦皆能究其底蘊」。

㊳：《河南程氏遺書》，第二，上。

㊴：虎關師鍊，《濟北集》，卷第十七、〈通衡〉之二。

㊵：同前註。

㊶：芳賀幸四郎，前舉書，頁六二。

㊷：虎關師鍊，《濟北集》，卷第二十、〈通衡〉之五。

㊸：同前註。

㊹：同前註。

㊺：日僧之稱美朱晦菴者甚多，例如中巖圓月在其《中正子》〈辨朱文公易傳重剛之說〉所謂：「朱之為儒，補苴罅漏，鉤玄闡微，可以繼周紹孔者也」。又如咲雲在其《古文眞寶鈔》，前集，〈朱文公勸學文〉條所謂：「以一心究造化之妙，至性情之妙，正《四書》、《五經》之誤，作《集註》，作《易本義》，流傳儒道正路於天下者莫若朱文公，不以朱文公為宗，非學也」，便是好例。

㊻：芳賀幸四郎，前舉書，頁七一。

㊼：同前註。

㊽：虎關師鍊，《濟北集》，卷第十九、〈通衡〉之四。

㊾：參看足利衍述，《鎌倉室町時代之儒教》，頁二一九。

㊿：參看清原宣賢，《毛詩抄》（岩波文庫本）。

㊿1：虎關師鍊，《濟北集》，卷第十一、〈詩話〉。

㊿2：同前註。

㊿3：同前註。

㊿4：有關義堂周信的事蹟，參看鄭樑生，〈日僧義堂周信的儒學研究〉，收錄於《中央圖書館館刊》，第二十七卷第二期（臺北，中央圖書館，民國八十三年十二月），及本書頁一四九～一八四。

㊿5：義堂周信，《空華日用工夫略集》（東京，太洋社，昭和十四年四月），永德元年（一三八一）十二月三日條。

㊿6：虎關師鍊，《濟北集》，卷第十九、〈通衡〉之四。

㊿7：同前註。

㊿8：同前註。

㊿9：同前註。

㊿10：同前註。

㊿11：同前註。

⑥2：同前註。

⑥3：同前註。

⑥4：同前註。

⑥5：參看鄭樑生，〈漢籍之東傳對日本古代政治的影響——以聖德太子爲例〉，收錄於《中外關係史國際學術研討會論文集》（淡水，淡江大學歷史學系，民國七十八年六月），及《中日關係史研究論集》，二（臺北，文史哲出版社，民國八十一年一月），頁一～二二。

⑥6：蘭溪道隆，〈人字說法〉。

⑥7：季弘大叔，《蔗菴遺稿》〈東明說〉。

⑥8：同五六。

⑥9：同前註。

⑦0：同前註。

⑦1：參看鄭樑生，〈日本五山禪僧的《孟子》研究〉，收錄於《第七、八屆中國域外漢籍國際學術會議論文集》（臺北，聯合報文化基金會國學文獻館，民國八十五年十月），及本書頁二九～六一。

⑦2：《大學》〈傳之一章〉云：「……欲治其國者，先齊其家，欲齊其家者，先修其身。……」《中庸》〈二十章〉則云：「……君臣也，父子也，夫婦也，昆弟也，朋友之交也，五者，天下之達道也。……親親，則諸父子昆弟不怨」。陳式銳，《唯人哲學》，頁九二一。

⑺：《大學》〈傳之九章〉云：「所謂治國必先齊其家者，其家不可教，而能教人者，無之；故君子不出家而成教於國。孝者，所以事君也；弟者，所以事長也；慈者，所以使衆也。……一家仁，一國興仁；一家讓，一國興讓；一人貪戾，一國作亂：其機如此，此謂一人僨事，一人定國。……故治國在齊其家。《詩》云：『桃之夭夭，其葉蓁蓁；之子于歸，宜其家人』，宜其家人，而後可以教國人。……《詩》云：『其儀不忒』，正是四民法之也；所謂治國，在齊其家」。

⑭：東沼周曮，《流水集》〈說夢〉。

⑮：夢巖祖應，《夢巖和尚語錄》〈贊孟子〉。

⑯：夢巖祖應，《旱霖集》〈雜著〉，「瞽叟殺人論」。

⑰：虎關師錬，《濟北集》，卷第十九，〈通衡〉之四。

⑱：同前註。

⑲：同前註。

⑳：虎關師錬，《濟北集》，卷第十五，〈論〉，二，〈瞽叟殺人論〉。

㉑：同前註。

㉒：虎關師錬，《濟北集》，卷之十，〈行記．一山國師行狀〉。

㉓：芳賀幸四郎，〈公家社會の教養と世界觀〉，收錄於《東山文化の研究》，上（京都，思文閣，昭和五十六年十月）。

⑭：虎關師錬，《濟北集》，卷第十九、〈通衡〉之四。

⑮：同前註。

⑯：同前註。

⑰：同前註。

⑱：同前註。

⑲：同前註。

⑳：同前註。

㉑：同前註。

㉒：同前註。

㉓：同前註。

㉔：一山一寧，《一山國師語錄》，卷下。

㉕：芳賀幸四郎，《中世禪林の學問および文學に關する研究》，頁一九二。

㉖：夢窗疎石，《夢中問答》，上，〈祈願與靈驗〉。

㉗：虎關師錬，《濟北集》，卷第二十，〈通衡〉之五。

㉘：同前註。

㉙：同前註。

⑽：同前註。

⑽：韓愈，〈答李翊書〉。

⑽：韓愈，〈樊紹述墓誌銘〉。

⑽：瑞溪周鳳，《刻楮集》。此集乃瑞溪摘錄大用有諸之文集《摩訶獅吼集》而成。

⑽：虎關師錬，《濟北集》，卷第九、〈答藤丞相〉。

⑽：同前註。

⑽：虎關師錬，《濟北集》，卷第二十、〈通衡〉之五。

⑽：同前註。

⑽：參看芳賀幸四郎，《中世禪林の學問および文學に關する研究》，頁二七八。

⑽：虎關師錬，《濟北集》，卷第十一，〈詩話〉。

⑾：註一〇八所舉書，頁二八四。

⑾：同前註。

⑾：參看註一〇八所舉書，頁二八五。

⑾：萬里集九、《梅花無盡藏》，第一，記載著萬里曾自文明丁酉（九年，明憲宗成化十三年，一四七七）至壬寅（十四年，成化十八年，一四八二）之間，於美濃（岐阜縣）鵜沼講東坡詩之事云：「〈祭東坡先生〉（余講畢《坡集》二十五卷，始丁酉，終壬寅。春澤主盟梅心翁會諸彥，設斯宴祭其靈，作詩。席上又作祭文，命鋏船市隱

老讀焉，蓋一時之美談也。祭文并市隱著語，見天下白末。余作《披抄》二十五卷，號《天下白》。）春夢玉堂花昨飛，大鵬背上著鞭皈。今朝三拜舉頭看，雲舞蓬萊及第衣」。（（）中之說明文字原爲雙行註——作者。

⑭：虎關師錬，《濟北集》，卷第二十，〈通衡〉之五。

⑮：同前註。

⑯：同前註。

⑰：同前註。

⑱：同前註。

⑲：同前註。

⑳：六根，指眼、耳、鼻、舌、身、意。眼爲視根，耳爲聽根，鼻爲嗅根，舌爲味根，身爲觸根，意爲意著之根。《法華經》〈科注〉云：「以六識緣六塵，偏染六根」，《般若經》則云：「六根者，謂：眼、耳、鼻、舌、身、意根；六塵者，謂：色、聲、香、味、觸、法也。眼見爲色塵，耳聞爲聲塵，鼻嗅爲香塵，舌嘗爲味塵，身染爲觸塵，意著爲法塵，合爲十二處也」。

㉑：虎關師錬，《濟北集》，卷第二十，〈通衡〉之五云：「佛教舉一身之用者六焉，益而不上七，損不下五，謂眼、耳、鼻、舌、身、意也。……外書說得或過或不及，百家皆是也。只《荀子》〈天論〉曰：『耳、目、鼻、口、形，能各有接而不相能也，夫是之謂天官，心居中虛也，以治五官，夫是之謂天君』。〈正論〉又有之。荀況者戰國之士也，我教不入支那之前三百年矣，然言六根如是備也。唐、宋諸剽竊吾教而立言者，皆不及況者遠矣」。

⑫：虎關師錬，《濟北集》，卷第十七、〈通衡〉之三云：「……若然者，是怪妄之甚也，夫垂教於世也，不怪莫跡，故取信於無窮，且絕妖妄矣」。又云：「今道家狂士，禁咒符術，能制孤鬼散精，或稱老君，或名眞君，作諸怪語誣詞，唐君、愚民，惑而不知，魔術之誑世，有如是焉。……是皆誣妄之談也」。

⑫：虎關師錬，註一二二所舉書云：「夫道家者，《道德經》外皆僞作也。何者？《道德經》中無佛語，實老子之玄言也。然尙或言廣成子語，其餘〈度人〉、〈生神〉章等，皆恐張道陵以降，私取佛經成其術也。夫張陵之前，衰周之末，言神仙者，莊周、列禦寇爲最焉。其書未有佛經語。西漢代劉安好道法，而其鴻烈解猶爲佛語。逮後漢末，道陵以來始出數經雜以佛語。因此而言，道士攘佛經作者無疑耳。又其《化胡經》，先代已行毀斥，只〈度人〉、〈生神〉章等未滅破者，其文頗有理。故其有理者，道士中有小才者，能道佛經，故只《化胡經》見。是僞事早從槌毀，〈生神〉章等僞理易逃，故長存耳」。

⑫：虎關師錬，《濟北集》，卷第十一、〈詩話〉。

⑫：虎關師錬，《濟北集》，卷第二十，〈通衡〉之五。

⑫：同註一二四。

⑫：同前註。

⑫：虎關師錬，《濟北集》，卷第十九，〈通衡〉之四。

（本文原刊於國立中央圖書館臺灣分館《慶祝建館八十周年論文集》，臺北，國立中央圖書館臺灣分館，一九九五年十月）

日僧義堂周信的儒學研究

一、前言

近三四年來，筆者曾就日本五山禪林輸入漢籍的情形，接受新儒學的心路歷程，及其儒釋二教一致論、儒釋道三教一致論，他們對《易經》、《大學》、《中庸》、《論語》、《孟子》等儒家經典的研究，中國史書研究，有關仁義的言論等問題，分別加以探討，此乃從整個五山文壇來看他們在此一領域的學術研究態度，與其研究成果對日本漢學和日本當時社會的貢獻等所作之研究，並非就其個人著述作較深入的分析與考察。因此，對那些禪僧個人的研究特色，他們對先儒的言論所作反應，便難免有無法深入瞭解之憾。爲要對他們每一個人的研究業績有更多、更深一層的認識，曾以〈日僧中巖圓月有關政治的言論〉爲題，深入考察中巖圓月的生平，及其論述有關仁義、經權、時弊等問題的內容與特色，使大家對這位儒僧有更進一步的瞭解與認識。在此，則擬以與絕海中津同被譽爲日本「五山文學之雙璧」的臨濟宗僧侶義堂周信爲考察對象。除介紹他的生平外，對其儒學觀、儒釋二教一致論，他心目中的漢詩文標準，以及他如何利用儒學來弘揚禪教和教化世俗等問題，也都是本文所要探討的重點。

二、義堂周信的生平

義堂，字周信，號空華道人。日本土佐國（高知縣）高岡郡人。俗姓平。母藤氏。如據其日記《空華日用工夫略集》卷末所記其叔周念道人之言，則其「母願生男子，跣足詣於邑之五台山，禱文殊大士，約以百日。期限將滿，纔餘三日，夜夢白氣一道自殿中出而入其懷，覺而有娠，歷十有三月方誕」。元弘元年（元文宗至順三年，一三三一）七歲時，從邑里松園寺淨義和尚讀《法華經》及諸儒書。明年，於家藏襍書中探得《臨濟錄》一冊，喜而讀之，宛如宿習。父母怪之，以爲天授。又就別處集置珍玩種種洎諸經書，令義堂取之。義堂乃從其中擇取《玉篇》、《廣韻》爛壞者，自己裝裱收藏，故見者無不感覺奇怪。如據《空華日用工夫略集》元弘三年壬申條所記載周念道人之言，則義堂之祖父某，學儒、釋之教，專修禪那，曾拜謁由良國師——心地覺心參禪問道。且言：「願得禪錄一卷，以爲理性學本」。由良乃給《臨濟錄》，而義堂所得者即此本。義堂之父則常讀《淨土三部經》，且《經》不離身云。

十四歲時，因見族人之橫死者，遂有出家之意，而落髮於松園寺。翌年，附搭商船渡海至京都比叡山，登壇受戒，然後回故里，從邑中新福寺之道圓阿闍梨受密教兩年。年十七，易服爲大僧，隨叔父周念道人上京都，謁見住於臨川寺之夢窗疎石而受法衣，並從天龍寺藏主方外宏遠學禪儀。明年春，將遊中國江南，乃先返土佐準備西航，卻因途中往來，冒風雨發病而未能成行。當時夢窗住天龍寺，乃往該寺，發誓持淨一年。某日，夢窗見其親自洗滌廁牏，用指甲清除污穢，感其精勤，乃命其侍湯藥。職未滿，即使其遷於侍司。年十九，侍巾瓶於方丈室，叩問勤確，寢食俱廢。夢窗曾上堂問禪，義堂應答得體，獲賞紫底扇子一把。二十一歲時，乃師問：「如何是祖師西來意」？答曰：「賺過一船人」而獲印可。

年二十三，捃摭宋、元兩朝禪僧所賦五、七言絕句數千首都為一部，題名《貞和類聚祖苑聯芳集》（簡稱《貞和集》）行於世，以應童蒙之需求，以為他們作詩偈之範本。

義堂博覽佛書、禪錄，並涉獵經史百家。善屬詩文，好聯句，其詩曾被中朝士人疑為「大唐人」所作。①

觀應二年（正中六年，元順帝至正十一年，一三五一）二十七歲時，在鎌倉圓覺寺與圓臨大照諸僧唱和梅字二十四首②而轟動遠近，此次唱和被稱為「關東③詩戰」。如據義堂之詩文集《空華集》卷第七所收錄〈次韻春屋首座〉蟲韻七言律詩四十首之〈序〉文，則這些詩亦為其二十七歲時之作品，乃其詩作中能夠確認之最早者。同年四月，夢窗再住天龍寺，命其「侍狀」，卻以患病為理由婉辭。又如據其〈贈鄉人仲機書記幹緣〉，及〈歸泉州大雄和偈〉所記，則義堂曾於文和二年（正平八年，元順帝至正十三年，一三五三）春買棹回故里。返鄉後，參侍自嘉元三年（元成宗大德三年，一三〇五）起，至貞和五年（正平四年，元順帝至正九年，一三四九）止，在華居留長達四十五年之久的龍山德見。

龍山在華期間，曾參古林清茂、笑隱大訢等高僧，故義堂參龍山後可能獲不少教益，此事可由他在〈義天古律詩序〉所言：

文和甲午春，予在京之禪林。一日，袖古律詩謁于長老龍山師而求潤色。山批之曰：「詩學，非禪者所能也」。予憤然而去。次日，山邀予酌茗，從容而語曰：「夫詩，六藝之一也，而自周詩三百篇以後，作者或十年、二十年，乃至四五十年，日鍛月鍊苦用心，而學者尚能造其妙者鮮矣，而況爾禪家者流，弗學而能者邪」？予乃疑而請益。

推而知之。文和甲午爲文和三年（一三五四）。

延文二年（正平十二年，元順帝至正十七年，一三五七）三十三歲時，在天龍寺，於放牛光林之下擔任藏主。在此一時期，他與關東之芳庭法菊、青山慈永諸僧相互酬唱而文藝活動甚爲活潑。明年四月，天龍寺遭回祿，致其《貞和集》稿化爲灰燼。他遭此意外後，爲重建該寺而率先從事化緣工作。四年八月，應關東管領（職稱）足利基氏（一三四〇～一三六七）之聘前往鎌倉，住圓覺寺。在鎌倉期間，不時謁見基氏，與之言爲政之道。基氏去世後則輔導其子氏滿（一三五九～一三九八），教其爲政之道。

貞治五年（正平二十一年，元至正二十六年，一三六六）四月，應不聞契聞之請，任圓覺寺首座，六月一日，爲海雲山善福寺住持。《空華日用工夫略集》應安五年（一三七二）十一月一〇日條記載他曾反省此事曰：

余讀保寧璣〈傳〉，有諸方以名山而請，皆不應。問其故，曰：「先師誡我，未登五十，不可爲人」。璣主於歸宗時年四十八矣，噫，余四十二，迫先府君基氏玉岩命嚴切，出住善福，年四十三。玉岩又以萬壽堅請，余千方百計回避而不應。今四十八矣，不覺額頭汗出也。

由此可窺知義堂爲人之嚴謹、忠實、率直的風範。

貞治六年（正平二十二年，元至正二十七年，一三六七），義堂將足利基氏葬於其菩提寺瑞泉寺後即住此寺。同年十二月中旬，當他前往建長寺聽中巖圓月講《百丈清規》之際，曾請中巖爲其詩文集《空華集》作跋。又如據《空華日用工夫略集》至德元年（一三八四）十二月二十五日條的記載，留華東返的釋椿庭海壽面告他：「有一位叫融侍者的日本僧侶持有你的《空華集》，中國官員見之而欲借來抄寫，但被拒而大怒」云。由此觀之，《空華集》在義堂寓居鎌倉期間，不僅已爲許多日域人士所閱讀，而且已獲中國士人之肯定。在此一時期，他除修禪、讀書外，似乎也忙於酬唱詩篇，此可由《空華日用工夫略集》應安元年一月九日條所記：

九日立春，余招萬年大喜及諸公，同春盤作偈謝大喜諸公。康安、貞治間，周旋於福（建長寺）、慶（圓覺寺）兩山，湖海名勝，邀請旁午，商今確古，語必終日，坐必達旦。暨居錦屏（瑞泉寺），規矩準繩，行道修禪之暇，儻有莫逆忘年之侶至，則引登一覽亭，眺臨吟哦。其酬唱也，或客爲之啓，或主爲之殿，朝扣暮請，無虛日矣。

瞭解他當時的生活情形。惟在四十歲以後，他已改變這種生活方式，故即使有禪僧作賀詩也不再唱和

④。雖然如此，這並非說他完全改變自己的生活方式而一以修禪爲事，故依然爲其子弟們講授中國詩僧靈一、皎然等人的作品。

應安五年（文中元年，明洪武五年，一三七二）、六年，義堂四十八九歲，這兩年他爲足利氏滿講授《貞觀政要》與《夢窗國師年譜》，以教導他爲政之道與宗門外護之事等。並且面告氏滿：應命儒者爲部屬講授《孝經》、《貞觀政要》，以爲施政之助益。義堂認爲：人如不知仁義五常之道，則不遵君命，不遵君命，則政事不行。此外，更爲教化上杉氏憲、二階堂行春、梶原景良等幕府要員及鎌倉武士而不遺餘力。

康曆二年（天授六年，洪武十三年，一三八〇），義堂離開居住長達二十一年之久的鎌倉回京都。其弟子心華元棣在〈關東諸公送明遠上人歸京師詩軸序〉中，敍述義堂在關東期間之活動情形曰：

新建仁義堂大禪師，昨者行化東方，提唱（倡）祖道之日，或雖學文字者莫不潤色，苟經其手，可以編之典冊，可以列之風雅。子論東方之美，蓋本乎十二篇也。而十二篇親經禪師手，以沐餘潤，不亦禪師所化乎。

據此以觀，義堂對鎌倉五山禪林文學的影響當非淺鮮。

義堂返抵京都後，旋爲建仁寺住持，並且出入於公卿、武士社會。更以作「和漢聯句」爲媒介，與朝廷高官二條良基交往，且爲室町幕府第三任將軍足利義滿（一三五八～一四〇八）講解《中庸》等而無暇日。惟他似乎無法適應這種生活，這可由他回京都後約半年時所作〈題扇面〉詩所謂：

半年竊食帝城東，千里歸心舊桂叢。忽見江山横短幅，扁舟便欲駕秋風。

看出他當時的心境。

義堂在建仁寺半年，於同年十月居等持寺，直到至德元年（一三八四）退居大慈院爲止。他不時爲義滿講解儒書，談政道，言禪，並爲幕府之高級武士講解經典，參加公卿們舉辦之聯句會，與寺院長老們酬唱漢詩等而參與上流社會之活動頻繁。至德二年，住五山之上的南禪寺。

我們如披閱《空華日用工夫略集》的記載，自嘉慶二年（元中五年，洪武二十一年，一三八八）以後，有關其身體違和的記載日多，但他卻爲其重編之《貞和集》的校訂而努力，並作〈後序〉。其間，知自己即將辭世，乃命其侍衣梵意藏主至京，細囑身後之土葬方式。同年四月二日，召季、意二弟子謂：「日本今無作龕陰銘者，吾將作銘而題於龕陰，如可」？兩人皆說可。即召侍僧口授，代草，而後命季藏主淨書刻於木版。其〈銘〉曰：

生死事大，無常迅速。永嘉大師，騎牛上屋。三玄五位，芳聯焰續。寒年之纊，歉歲之穀。空華道人，曲不藏直。木龕八楞，聯復順俗。揭示諸子，至祝至祝。

並召絕海和尚告曰：「吾作掩土之備，願尊兄爲我作法語」。四日，問侍僧曰：「時候何刻」？僧曰：「四更禪罷，而五更鐘鳴」。義堂乃端坐，開靜板未鳴，泊然而寂。世壽六十六。⑤著有《空華集》二十卷、《空華集外集》二卷、《空華日用工夫略集》四十八卷（現存三卷爲節錄本）、《語錄》二卷，《禪餘外文抄》十二卷、《貞和類聚祖苑聯芳集》十卷、《枯崖漫錄抄》二卷、《東山外集抄》十卷、

《百丈清規抄》、《古今雜集》等。

三、義堂周信的儒學觀

禪宗雖主張「教外別傳，不立文字」，於元代赴日的華僧蘭溪道隆也曾言：「參禪學道者，非四六文章，宜參話祖意，莫念死話頭」。⑥日僧夢窗疎石更說：「如其醉心於外書，立業於文筆暑，此是剃頭俗人也，不足以作下等」。⑦但此乃從禪之第一義的立場來說身爲禪僧者應專心致志於修禪，亦即「學人祇管打坐勿管他，因爲佛祖之念只坐禪」。⑧因此對以「猛烈放下諸緣，專一究明己事」爲本分的禪僧而言，拋棄修禪而徒然將時間花費在無謂的閑文字，致道念蒙塵，則本末倒置，莫此爲甚。職是之故，就這種立場而言，禪林不許有任何文學存在。然在事實上，卻多見日本僧侶以文章爲本，學道次之。所以中日兩國高僧之先後告誡勿步向文筆之路，實可反證當時的日本禪林之沈溺於文學或外典者不少⑨。

禪宗雖從禪之第一義的立場來否定「禪僧文學」，但緩和此種態度而允許其存在的言論產生之時期卻相當早，此可由在元末赴日的竺仙梵僊之《語錄》所記，他與其日籍弟子裔翔的對話得知其梗概。裔翔問：

大凡作詩及文章，何者宜爲僧家本宗之事？

竺仙曰：

僧者先宜學道爲本也，文章次之，然但能會道而文不能，亦不妨也。

裔翔又問：

多見日本僧以文爲本，學道次之。翔見杜子美曰：「文章一小伎，於道未爲尊」。以此觀之，況緇流乎。故竊以爲恨，然如何學道可也？

竺仙答曰：

汝能知之，猶可敬也，我國之僧有但能文而宗門之事絕不知者。人乃誚之，呼其爲百姓僧。若僧爲文不失宗教，乃可重也。

竺仙雖認爲身爲僧侶者應以學道爲本，即使只會道而文不能，亦無妨，然如只會寫文章而不知道，則應予輕視。雖然如此，若學道與文章能兩全，則最爲可敬。當裔翔繼續請教相關問題時，竺仙便更進一步地說：

但以道爲大事，以文助之，乃可發揚。凡世間一切不可嗜而執著之。道法雖大事，然若嗜而執著，成偏僻，爲法塵，況文章乎。然譬如人食，有飯乃主也，若復有羹，方爲主食。無羹之時，未免咽滯而少滋味，以道之飯，得文之羹，百家技能爲菜爲饌，斯爲妙也。

亦即竺仙將道與文章比作飯與羹的關係，將文章視爲助道之一而加以肯定。他認爲禪僧的轉迷開悟之修養既不需文字，也與文字無涉，所以在開悟以前如涉及文字，則有礙於自己的修養；即使在開悟以後，若執著於它，亦屬邪道。惟在會道之後則未必須要排斥詩歌文章，因爲它能扮演對主食所需菜、羹的角色，所以如能兼備道與文章則最爲理想。

那麼，義堂周信對此一方面的看法如何？首先就「不立文字」而言，他對它所作解釋是：

由吾宗觀之，不立文字，又不離文字，用乎無用，文乎無文，而無用不盡。⑩

雖吾佛心宗之徒，見性自悟者，至於授受心法之際，亦不得不寓其言。⑪

義堂所言不立文字之本意，決非在表面上離開文字，乃是在否定其末技。爲要表示悟境，自非靠文字不可。因此，他更進一步地說：

不文，文之母，故不文而靡所不文焉。⑫

無文，固文之本也；有文，乃文之末也。⑬

而肯定超越否定之文，表示其身爲禪者的文學觀。而他在〈序用文上人詩軸〉所言：

文字章句，言文之體也；仁義禮信，人文之體也。……惟四者之最急於世用者莫若人文。然人文假言文而行，言文由人文而發，何則？凡仁義云者，皆出乎心而形乎聲，而乃文字之韻律之用之。以是論之，言文固末，而人文爲之本。……世之嗜文者，率舍人文而弗用，惟言文是競。

乃係認爲仁義禮信是假文字章句之言文而行，言文以人文爲根據表現出來。這種說法，實乃出自儒教的文學觀者之言。

由上舉文字可知，義堂的儒學觀在基本上與竺仙大致相同。他也曾說：

君子學道，餘力學文，然夫道者學之本也，文者學之末也。……上人其爲學之本乎，將其爲學之末乎？老杜以文章自負者尚不曰乎，文章一小伎，於道未爲尊。念哉！⑭

「文章一小伎」，見於杜甫〈貽華陽柳小府〉詩，在前引日僧裔翔與華僧竺仙的對話中雖出現此一詩句，但義堂曾一再引用此句於其詩文中。例如：

見說文章一小伎，誰能傳道到玄來？直饒雁塔題名去，爭奈龍門點額回。⑮

義堂雖深覺道之可貴，卻無法擺脫詩文。上舉詩中所謂「誰能」一語，最能表露他的這種心情。此詩乃其年輕時作品，然當五十九歲時，其〈戲呈二條良基〉詩所流露的心境已有所不同。詩謂：

小伎文章不直錢，爭如默坐只安禪。狂言綺語防違犯，佛滅於今歲二千。

亦即當我們比較前舉兩首詩時，可知隨著歲月之流逝，年齡的增加，他對「文章一小伎」的觀念也隨著發生變化。因觀念發生變化，所以認爲學詩應排除俗樣，以警誡策勵後進。因此又謂：

一文一藝，空中小蚋，此梁亡名子之言也，文章一伎，於道未爲尊，此唐杜甫之言也。如二子言，則文章與夫道遠者明矣。而《雜華經》則說：「菩薩能於離文字法中出生文字」。又說：「雖隨世俗演說文字，而恆不壞離文字法」。子劉子則說：「心精微發而爲文」。如此二者說，道固不外乎文字矣。⑯

此一說法與強調詩文本義的彥龍周興所謂：

夫詩也，少陵之精微，老坡之痛快，餘無可學者，況本朝諸老乎。文也者，得筆於退之，得意於子厚可也。宋元以後，不足把玩。秦漢以前可取則矣，然詩而雖壓杜、蘇，文而雖折韓、柳，只一詩僧耳，一文章僧耳。奓奓乎，覺範乎，祖宗門下之罪人耳。向上一著，行住坐臥，歷歷可驗。學者到此得些子力，則詩也，文也，不學而傳矣。蓋道雖多歧，只在方寸，方寸不明而至道者，未之有也。⑰

大致相同。亦即義堂認爲在財利向上的第一義上應否定文章，惟在利他向下的立場，則在不執著於文字的條件下可肯定文學。若一味沉迷於文字而不從事佛學修養，那只不過是一詩僧，一文章僧而已。義堂既在離文字之法，亦即在不執著於文字的條件下肯定文學，因此他便說明禪僧之詩之本義曰：

凡吾徒學詩，則不爲俗子及第等。蓋七佛以來，皆以一偈見意。一偈之格，假俗子詩而作耳，諸子勉之。又，詩有補於吾宗，不翅唫詠矣。⑱

此乃言詩文在禪門的積極作用。亦即義堂將詩文——儒學視爲助道之一，用以表現自己悟道之心境的方式而同意它存在於禪門。惟在當時懷有這種思想的並非只有義堂，生存時代與他相仿的友山士偲，也認爲作詩製文於道無害。他說：

夫詩之道也者，以修一心爲體，以述六義爲用，所謂曰思無邪者，蓋指一心之體也。移風易俗者，登六義之用也。以要言之，三教所談所說，不過體與用耳。然則作詩制文，於道有何害耶？⑲

也就是說，義堂與友山對文學——儒學所作佛教的解釋並無二致，而他們的這種說法應可認爲是日後詩禪一味論的萌芽。由於義堂的儒學修養在當時的五山禪林頗受敬重，故其此一言論自然影響及於其他禪僧。因此在不久以後便有人說：

禪與詩文一樣同，紫陽今不可無翁。當軒坐斷熊峰上，四海空來雙眼中。⑳

也有人說：

浦口吹春浪抹青，旅房雞旦祝堯蓂。磨蘇味，試分直，詩是吾家《般若經》。㉑

更有人認為：「詩熟則文必熟，文熟則禪必熟」㉒，而將儒學與禪視為完全相同。義堂的此一思想，可能源自中國的詩論，此可由日本五山禪僧所愛讀的《詩人玉屑》，卷一，〈詩法〉所錄〈趙章泉學詩〉、〈吳思道學詩〉、〈龔聖任學詩〉三篇之卷首俱有「學詩渾似學參禪」之句推而知之。㉓

四、二教一致論

當我們披閱義堂周信之《空華集》，卷第十五，〈以清說〉時，可發現他在引《周易》、《老子》之文字以後說：「是二氏之譚，與吾佛教之道，大同而小異也」。卷第十六，〈惟忠說〉則言：

夫中心者非世所謂心也，佛祖所傳妙心也。中也者，非世所謂中也，天下大本之忠也。

而將佛教之中心與儒教之中相比，然後說：

大本，故無道不歸焉；妙心，故無法不攝焉。推而廣之，在儒氏也，仁之，義之，禮之，樂之，而皆不出乎是大中矣。在佛氏也，戒焉，定焉，慧焉，是三者學，皆不離乎是妙心矣。統而一之，則惟中惟心。心，猶中也，中，猶心也，曰：惟中而已矣；曰：惟心而已矣。斷斷乎儒于是，佛于是。

而認爲它們兩者相同。程伊川曰：「不偏之謂中，不易之謂庸」。中者，不偏不倚，無過不及，如處四方之中。其靜如止爲中，其動中節爲和，惟也，理也。庸者，常也，不易之理也。其順理所發之情，即人之常情，合而言之，謂明德。情發於心，心正即情純。心正在意誠，意誠在致知，致知在格物。致中和即在心正，使心無一毫之染，純然歸情合理。因此，上舉義堂之言，當係根據《中庸》一章所謂：

喜怒哀樂之未發，謂之中，發而皆中節，謂之和；中也者，天下之大道也；和也者，天下之達道也。致中和，天地位焉，萬物育焉。

以說儒家所謂之中，就是佛家所言之心，它們兩者相同。

先儒，尤其孟子論道，講仁、義、禮、智。仁爲明德之中心，爲道之本體。智爲求知性、知理，與知天，爲修身之首要。心爲人之神明，心如爲私欲所蔽，則放失而無主宰，人亦茫然無所措。心之所向爲志，持志恃氣之磅礴，養氣在集義。仁爲道之體，體義爲道之用。禮爲人有度量分界之行爲，義則是人各得其宜之舉動。又，仁者，愛人之心也，爲道之本體。義者，宜也；禮者，履也，爲人對人行爲之範疇。仁爲道之本體，義爲道之用。孔子以仁爲主，以義爲副。後孟子闡義，荀子推禮，皆不離仁。孔子以能行恭、寬、信、敏、惠五者爲仁，並舉五者之功用。有子謂：信近於義，蓋其言合宜可踐，恭近於禮，以其致敬中節，可遠恥辱。《中庸》以親親（如父子）之愛，最能表現仁之體；尊敬賢能，各得其宜，最能表現義之用。職此之故，義堂乃視儒之五常與佛之五戒相同，曰：

在儒仁、義、禮、智、信，在釋不殺、不盜、不婬、不妄、不酒，儒謂之五常，釋謂之五戒，

其名異，其義同。㉔

禮乃有度量分界之行爲，甲之行爲有度量分界，乙之行爲亦有度量分界，兩者各依其度量分界，不相侵犯而得相交，是謂之和。先王之道，則以和爲美，事無大小，悉依之而行。但禮須活用，如斤斤於彼此表面之度量分界，是爲和而和，若不以禮節之，亦有不可行者。㉕因此，《論語》〈學而篇〉記有子之言曰：

禮之用，和爲貴，先王之道，斯爲美，小大由之。有所不行，知和而和，不以禮節之，亦不可行也。

孔子則曰：

博學於文，約之以禮，亦有佛畔矣夫。⑯

就此和而言，義堂也認爲儒、釋兩教在此一方面是一致的。他說：

夫和之爲義也，其說可考。儒氏則曰：「禮之用，和爲貴」，蓋言禮不以和濟焉則煩，和不以禮節焉則流。禮之與和，得乎適中，而後可以行於己，可以施於人，是儒氏所以貴乎和也。佛氏則曰：「梵言僧伽，華言眾和合」，而有理合焉，有事和焉。戒和則同修，見和則同解，身和則同住，利和則同均，口和則無諍，意和則同悦，謂之六和，是事和也。曰：證則滅，滅則無爲，是理和也。曰事，曰理，二者咸和，則何道而弗成，何事而弗辨，是吾佛氏所以貴乎和也。於虖！和之道大矣哉。天地和而陰陽泰矣，山川和而草木蕃矣，五行和而後氣候均矣，君

臣、父子、夫婦、兄弟、朋友之類，皆和而後人道昌矣，儻或一弗和，則皆反是。㉗

由於儒、釋兩教均重視和，故義堂認爲它們一致不二。

爲人須求較高之人生境界，先立乎其大者，學養以成人，爲人，爲士，爲君子。至於交人之道，孔子有「三友」與「三樂」。就其「三友」言之，交正直者，己有過，可以聞而改之，爲友直；交誠實者，己有過，可得其諒而無後患，爲友諒；交見識廣者，己之愚可得其教而明，爲友多聞，此益者之三友。㉘義堂又就此「以直爲友」之「直」，言儒、釋兩教之一致曰：

直之爲義也，無曲而正典者也。云云。直而溫，舜之教也；正而直，箕子之三德也；以直爲友，仲尼氏之三益也。加以正直捨方便，先大覺氏之遺訓也。直心道場，毘耶彼上人所以偏小也。彈傳直，吾祖之所以標心宗也。蓋以行端則景直，心正則道直，以是內直諸己，外直諸物，則奚患乎道不行也哉。㉙

以上所言者固爲義堂對儒、釋兩教的看法，認爲此兩教在許多方面有其一致處，相似處，但卻未將它們視爲完全相同而沒有差別。曰：

凡孔、孟之書，於吾佛學乃人天教之分，齊書也，不必專門，姑爲助道之一耳。經云：「法尚可捨，又何況非法」。如是講則儒書即釋書也。㉚

由此觀之，義堂只是以人天教之分取儒，所以在根本上倡導三教一致。他認爲儒、道兩教所言者，均涵蓋於佛心中。曰：

以吾心法之量而推之，彼（儒、道）二氏者，太極、元氣云云者，亦皆縕在其中矣。㉛

只因他認爲儒教涵蓋於釋教之中，而以之爲人間教，故在教導世俗時應自儒教引入佛教，亦即他以儒教爲進入佛教之階梯。曰：

先告以儒行，令彼知有人倫綱常，然後教以佛法，悟有天眞自性。㉜

儒家以仁爲道之體，忠恕如其動靜脈，故謂「忠恕違道不遠」。欲求於人者，先盡之在己，不願於人者，亦勿施於人；孔子善推此心，以行五倫——父子有親，君臣有義，夫婦有別，長幼有序，朋友有信。若能知此人倫綱常，則必能推此仁心以慈愛萬物，如能慈愛萬物，便能遵從佛旨，普渡衆生。

由上述可知，義堂之所以修習儒學，及認爲儒、釋兩教一致的原因在此，嘗試儒的教化之原因亦在此。亦即以儒教輔助佛教，以儒教爲弘揚佛教之方便手段。所以他雖倡儒教，但其所倡者卻專在人之道德，亦即在爲人處世方面。此一事實，亦可由下文所舉他對其弟子們或武士們所發言論中看出來。

五、詩文的標準

由前文看來，義堂周信雖站在禪本位的立場，將儒學視爲第二義，亦即將儒學視爲便於弘揚禪宗與教化世俗的手段之一，但他本人不僅對儒學的造詣極深，也讀過朱熹的《性理指要》。對漢唐古註與宋儒新註，則給予後者的評價較高。曰：

近世儒書有新舊二義，程、朱等，新義也。宋朝以來儒學者，皆參吾禪宗，一分發明心地，故

註書與章句學迥然別矣。《四書》盡朱晦菴，菴及第以大慧書一卷，爲理性學本。云云。㉝

又，當他被問及「儒書新舊二學不同，如何」時則答曰：

漢以來及唐儒者，皆拘章句者也，宋儒乃理性達，故釋義太高。其故何？則皆以參吾禪也。㉞

義堂認爲宋儒新註的釋義較高的原因在於含有禪意，而他所謂「《四書》盡朱晦菴」一語，則表示他對宋儒新說之尊崇。前此禪家之倡程朱之學者雖皆持與此相同之見解，但如義堂之明言而公開表示自己觀點者卻絕無僅有。

義堂除曾引前舉杜甫所言「文章一小伎」外，又曾藉仲氏之口來提儒學與佛家之兩個相反的文章觀。伯、仲二氏可能爲義堂虛構之人物，雖然如此，我們姑且看看仲氏對此一問題的見解：

仲氏答曰：抑揚也，非相反也。今夫儒、釋二氏之徒，不務其本，而競其末者，滔滔皆是也。斯前之所以抑也，而又道之與文，譬若一樹而有根柢枝葉之別，皆由一氣所發焉。夫道德文章，是吾心之固有，有于中者，必形乎外。故曰：「心華發明照十方刹，斯後之所揚焉」。吾曰：「是抑揚也，非相反也」。於是伯氏釋然。喜。㉟

惟觀此言，其結論所佔儒學的成分較多，有如儒者的文章論。

在《空華集》裏，儒的言論雖多，卻不似中巖圓月，岐陽方秀等人的著作所見那麼有系統、有組織，其因可能在於其所言多臨機而發，非經縝密思慮後方纔發表出來。義堂以爲人文即德之本，文即言語，文章爲末。

文章章句，言文之體也，仁、義、禮、信，人文之體也。云云。在人則仁乎父子，義乎君臣，禮乎夫婦，信乎朋友。在言則宜筆者筆之，宜削者削之，是其用也。而最急於世用者，其人文若。然人文假言文而行，言文由人文而發。何則？凡仁義云者，皆出乎心而形乎聲，而乃文字之韻，律之而用之。以是論之，言文固末，而人文爲之本。苟善用其文者，必先務其本。本既立焉，則其末不待約而自正矣。而世之嗜文者，率舍人文而弗用，惟言文是競，所謂務本之名何在？㊱

此言仁、義、禮、信之人文係假文字章句之言文而行，言文以人文爲根據表現出來。這種言論乃敷衍孔子之德本說而有如讀韓昌黎之〈答李翊書〉。

義堂除文章外，也擅長作詩。其詩雄壯健俊，幽遠古淡，具備衆體，被認爲有中晚唐之風。其在京都西山所賦〈送藝上人皈九州〉詩：

海上倭山即九州，平生有意踏鯨游。秋窗一夜閑欹枕，望看靈槎犯斗牛。

及其他五六首，曾被華人疑爲出自中國文人之手。㊲他對詩的看法是：

夫以在於心爲志，發乎言爲詩，則之與詩名異體一焉而已矣。㊳

士死於爐者形也，不死而存者志也。何以知之？以言知之矣。㊴

此係根據《毛詩》〈大序〉而發。這種文學觀，乃自《古今和歌集》〈序〉所謂：「大和歌乃以人心爲種子形成之萬千言語之枝葉」起，至《連理秘抄》所言：「各正其志，吟詠性情者可以思無邪之一助焉」爲止，流露東洋詩歌論之根柢的傳統文學思想。㊵惟他認爲禪僧所要學的並非俗人詩而要學佛徒詩，尤其要學高僧詩。曰：

> 今時僧詩，皆俗樣也，學高僧詩最好。今僧詩例學士大夫之體，尤可笑也。官樣富貴，金玉文章、衣冠、高名、崇位等，弊尤多。弊則必跡生，跡生則必改，復古高僧之風可也。㊶

義堂所以勸其弟子學高僧詩的理由在於：

> 古之高僧居岩穴，修戒、定、慧，而餘力及詩。寓意於諷咏，陶冶性情者固多矣，而視其詩則率以道德爲主，章句爲次。枯澹平夷，令讀者思慮灑然。若唐皎然、靈徹、道標三師，以詩鳴於吳越之間。故諺美之曰：「霅之晝，能清秀；越之徹，洞冰雪；杭之標，摩雲霄」。及趙宋皇祐間，僧中以文輔吾教者，曰孟陵潛子，慕三師者風，爲三高僧詩。有曰：「禪伯修文，豈徒爾？誘引人心通佛理」，此言晝公之雅志也。曰：「三十能詩名已出，名在詩流，心在律」，此言徹公之操履也。曰：「標師之高摩雲霄在德，豈在於沉寥」？此言標公之誼氣也。而世徒稱三師以詩，潛子獨以道德而美之，不亦高哉！㊷

義堂首先敘述《論語》〈學而篇〉所謂：「行有餘力，則以學文」之實踐第一主義，而詩則無論如何都是第二義，並且它非以道德爲準不可。故乃引孟陵潛子、明教契嵩之言，以爲禪僧之詩文並非只是悠閒的將人心誘引於佛教教理，乃爲晝公（皎然）平生志。而徹公（靈徹）之詩的根本在律，標師（道標）高詩之根本在德，而再度強調「可學高僧詩」。因此他復強調道德而具體地說：

> 余因說文章、詩句先須講明。講明箇甚麼？則先立志要正。正則無邪，而後先得第一句，次二句，次三句，次四句，乃圓備也。㊸

義堂更認爲文章、詩句不可陷於晦澀難解，非平明易懂不可。曰：

> 師姪梵芳上人來自東勝，出近作數首。……艱澀用奇字，往往不可讀也。㊹
>
> 恕藏主出近作求改。余因說曰：「凡述作之妙在自然，不可斧鑿之痕耳，刻意巧妙則不可也」。㊺

可見他重視不見斧鑿之痕的平明自然之作品，而與日後江西龍派之「奇」與「刻意巧妙」有異。所以他贊成《詩人玉屑》卷六所謂：「詩以意義爲主，詞次之」。曰：

> 良弘藏主來見，因問著述風雅古今作者之優劣。余爲說云：「凡作文、作頌，當先得意，然後得句。意爲主句爲伴，苟得意則句不必工亦可也。句工而不得意，則吾不取也」。㊻

由於他主張「詩以意爲主」，希望僧侶們所作詩文要言之有物，故對關懷民生疾苦，且常以此一方面的題材來賦詩的杜甫之評價極高。他說：

> 唐能詩者無若杜子美。開元、天寶間，與李白齊名，時稱李、杜。㊼

又說：

> 余嘗讀老杜詩，感其方安史喪亂之際，不失忠臣忠義節。至若「文章一小伎，於道未爲尊」，是余感之深者也。㊽

可證。

由上文觀之，義堂衡量詩文之良窳的標準，在於它是否注重德，及是否言之有物，而反對無病呻吟。

又，義堂對宋人周弼所輯《三體詩》也相當重視，此事可由其日記《空華日用工夫略集》所記載；他一再講授此書，或記載與此書有關之事推而知之。義堂之重視此書，乃如前文所說，當他三十歲時，持自己所作古律詩謁見龍山和尙，請求其潤色，並向其請益之後。他在前舉〈義天古律詩序〉之後接著說：

（龍）山於是重告曰：詩之作也，風、雅、頌變爲《離騷》、《離騷》變爲〈河梁〉，爲〈柏梁〉。逮于李唐，律詩作焉，有古律也，有今律也。今律也者，八句而有頷聯、頸聯、端句、結句之制。古律也者，有十句乃至一百句，二三百句而通篇押一韻者，少陵、香山之集中所載者是也。然古律詩則牽於強韻，失乎布置，故近世詩人能焉者鮮之又鮮矣。汶陽周先生撰乎唐賢三體家法詩，獨采今律而不收古律，良有以也。今子如不已，則姑學今律足矣。余退而三復斯言，自爾古律之詩不復作矣。

義堂不僅自己放棄學古律而改作今律，當公卿二條良基問他「《三體詩》可學否」時，也勸他學，㊾更著《三體詩抄》以爲詩學入門之需。

六、儒學的應用

在義堂周信的一生中值得特書的是教化侯伯，亦即教化幕府及關東之高級武士，且作儒的教化。當其在鎌倉時，曾爲關東管領足利基氏（一三四〇～一三六七）講仁義與治國之道，而其所言內容頗富啓沃之力。

先儒之道，以人生哲學爲中心，故其思想皆以人爲主體，所以仁爲人與人以同類相感而發生之同情心，人更以同情心進而推己及人。以同情而施得宜之政，爲仁義之政；爲政治民，貴在以同情之心推己及人，亦即要有人溺己溺，人饑己饑之心懷。故先儒之道，進則救民，退則修己，此爲仁義之政。故施仁政與否，在主其事者是否推其同情之心於民；愛人者，人恆愛之，爲上者能恤民，則民親其上而死其長矣。因此，當足利基氏於貞治三年（元至正二四年，一三六四），因獲銅雀硯而愛不忍釋，致疎於問政。義堂乃應用先儒之言以誡之曰：

人君修德，則遠人歸，方物至，理必然也。惟我府君果能修其德以待物，則四夷八蠻之國，珠翠、象犀之貢，威弗加而自服，譯弗重而自獻，豈止是硯而已矣。但玩物喪志，則君子不取。⑳

義堂不僅勸誡基氏要修德，勤政愛民，復從京都聘請儒學家菅原豐長使之師事。貞治六年（正平二十二年，元順至正二十七年），基氏去世，子氏滿（一三五九～一三九八）繼其職。因氏滿年紀尙幼，所以義堂擔負了輔導之責。故不僅對其言乃父基氏之篤志好學以激勵，更隨機給與誡諭和鼓勵。他認爲：「凡治天下國家，無不以文爲先」，所以希望氏滿專勤文學，繼承父業，以副外護之望。㉑於是親自爲氏滿講授《貞觀政要》，更使菅原豐長爲其講解經書之義以誡諭之曰：

> 凡人不知仁義五常之道，則不遵君命，則政事不行也。(52)

人與人原有同類之感以推己及人之心，其發於行爲者亦莫不各得其宜，故謂仁義根於人心之固有；但當爲外物，如土地之利所誘，爭城奪國，反不以人爲重。當政者唯利是圖，高級官員如之，一般民衆如之，上下交征利，物交物，人心喪失，不奪不厭。在此情形下，五常之道自然不受重視。不重視五常之道，當然不會遵從君命，不遵君命，政令便無法推行。因此，義堂乃舉孟子勸告梁惠王要實施仁義之政的故寔來教導氏滿爲政之道。

義堂不僅認爲爲政者須實施仁義之政，更認爲治國之道在於經權，亦即在於文武相須。稍早於義堂的中巖圓月曾曰：

> 經權之道，治國之大端也。經，常也，不可變；權者，非常也，不可長。經之道，不可秘吝也，示諸天下之民可也。權也者，反經而合其道者也，反而不合，則非權也。經者，文德也；權者，武略也。武略之設，非聖人之意，聖人不得已而作焉，作而不止，非權之道也。作而止則歸文德，是權之功也。文德，經常之道，誕敷天下，而武略權謀之備不行於國，則堯舜之治可以坐致。(53)

義堂則曰：

> 凡治天下，文武二道也，武則治亂而已，文則爲政之術也。昔唐太宗貞觀之政，至今爲美。其

初，太宗以弓問弓工。答曰：「木心不正」。太宗乃召十八學士問政事之要。吾日本三代將軍之世，以十八人之士分爲三番，侍幕府之講，無乃擬十八學士乎。然則古今治天下國家，非文武二道則不可也。凡人爲上者憫下，爲下者敬上，是則非生而知之，以學而知之也；不學而知者，未之有也。千萬以學政治之備則甚焉。㊹

文武雖不可相離，但文乃經常不易之道，故爲政治之本，武則爲其應急輔助機關而爲政治之末。凡人生天地之間，實與禽獸相異，無爪牙以供嗜欲，無羽毛以禦寒暑，必假他物以養其生。於是聚而有求，求之不足，爭心將作。因此，古代聖人乃卓然而行以仁愛禮讓之文德。以文德普施於天下，天下之人便歸附之而有如衆星之拱北辰。所以王者應專修文德以旺化諸人，是以爲常。若當政者怠而失常，則民心亦怠而不守常，於是小則鞭扑之刑行之，大則甲兵之威征之，此乃權謀之道。職此之故，經之道欲舉，權之道欲措。可舉之道，治世而施；可措之道，亂世而爲。㊱由於文係爲政之術，武則治亂而已，因此義堂乃勸誡氏滿要重視文治以求得民心，而他之所以使氏滿讀《貞觀政要》的目的當在此。

義堂不僅勸基氏、氏滿父子致力學文，也勸氏滿之下屬執事（職稱）以下之人員讀書，使知爲政之道，以善其身。從而輔佐氏滿以成其德。故當執事上杉親衛（能衛？）來訪時，即曾要他「以文學輔政務」，並言「公宜力學」。㊱又當上杉朝房來訪之際，朝房言本年（應安三年，建德元年，明洪武三年，一三七〇）爲其父三十三周年忌辰。義堂便趁機告訴他行道所以報父恩的道理。曰：

凡爲天下，行公道以安眞俗，是則親恩、佛恩一時報了者也，不必種種作善爲佛事也。㊲

政爲求民事之正，人得以遂其生，此爲仁政目的之所在，其有不恤民之生死而圖君之富強者，爲先儒所不齒。地方百里而可以王，要在施仁政於民。爲政者時刻不失其同情之心，省刑罰，薄稅歛，民得盡其力於農事，而又有暇日似修禮儀；人民至此，自知以事父兄，出以事長上。㊳如此則親恩、佛恩俱報，不必再作種種佛事。當上杉金吾(氏憲)來訪，言及當時在日本國內發生之事變時，則告訴他不動心之重要，且舉《周易》之言以戒之曰：

《易》曰：「其亡其亡，繫于包(苞)桑」，是則所以持滿之術也。凡魔事發，心若動則魔必乘隙，不動則魔必退矣。㊴

此乃引《孟子》〈公孫丑篇〉不動心章之句，言須培養不動心之根柢，要有臨機應變之態度。並以此來勸其行仁政，要有「行一不義，殺一不辜，而天下有不爲也」之心，若私慾薰心，橫征暴歛，率獸食人，則人心惡之而民散失矣。道得衆，則得國；失衆，則失國，殷之鑑也。㊵當野州太守二階堂行光來訪，問及孟子之事時，即告訴他習慣、環境的重要。曰：

凡人以所習爲賢，故其母三擇鄰以居，遂爲亞聖，其所近習者，可不愼哉！㊶

爲政者，要在「允執厥中」，主道心，而無私欲之雜，除保民而外，別無所企圖，孔子乃稱美「無爲而治者，其舜也與」。㊷蓋舜之南面，純以仁存心，恭己以臨民而已。政爲衆人之事，治國則爲管理此衆人之事，而治國必有元首及其所率領之行政人員。爲政時除身爲人君者須有善推其同情之心以及人，「憂民之憂，樂民之樂」之胸襟，使其民之亦推其同情之心以及上，「民亦憂其憂，民亦樂其樂」而上下相得外，尚須覓有才德之人而舉用之，如此則有司皆得其人而政益修。如要達到此一地步，則非致力學習不爲功。因此，當他接見上杉氏之家臣明石道可居士時，便說應獎勵子弟研究學問。曰：

今時人不成材人，以無人訓勵者也。譬之材木，在山林則至老死無用物也，匠氏采斲成大廈，則輪奐美哉。苟一人成才，則萬人化之，平人尚爾，況主天下而下爲輔臣僚佐者乎。其人善，則天下治，不善，則天下亂，可不學乎。63

義堂此言，當是舉孟子所謂：「仁則榮，不仁則辱」64，及孔子所謂：「善人，爲邦百年」65而發。

以上所考察者，乃義堂周信在鎌倉二十餘年間，對管領及執事、幕僚人員所作儒的教化之梗概。結果，使鎌倉的文風頗盛，關東治理良好，而室町幕府無後顧之憂，良有以也。此後，關東地方之所以出現以上杉憲實（一四一一～一四六六）爲始之許多好學之士，當係義堂所遺教化使然。66

康曆二年（天授六年，明洪武十三年，一三八〇），義堂離開鎌倉，西返京都，擔任建仁寺住持。室町幕府第三任將軍足利義滿（一三五八～一四〇八）對其信任有加，遂延攬爲顧問。

《四書》爲儒家人生哲學之大全，教人以窮理、正心、修己、治事之道，而義堂又認爲儒教乃培養君德所不可或缺，所以他便首先請義滿讀《四書》。義滿從之，遂聘儒官菅原秀長爲其講授《孟子》。

當他聽完以後，曾就該書中若干有疑問處請教義堂。義堂乃引倪士毅集釋之言爲其詳細解說。義滿聽完後復問：「聽《孟子》既畢，又將聽《大學》，如何」？義堂對曰：

《大學》乃《四書》之一，唐人學《四書》者先讀《大學》。意者，治國家者，先明德、正心、誠

意、修身，是最緊要也。敢請殿下《四書》之學弗怠，則天下不待令而治矣。㊿

《中庸》提出「性」——良知、良能，《大學》標出「明德」——欲與情之調節。率性之道，則可以明德。人之氣質，或不能齊，須教之使其明明德。教者：格物、致知、誠意、正心、修身，屬於修己；齊家、治國、平天下，屬於治事。率性、明德之至爲誠，誠爲生元，生之原動力。誠則形，形則著，則明，則動，則變，則化，而與天地參。㊳因此，當義堂被問及是否可讀《大學》時，便立刻說出上舉之話來鼓勵。又，義堂所謂「唐人」，並非唐朝人，係指中國人而言。

儒家道術，可稱人生哲學，由一身至一家，由一家至一國，由一國至天下。應行之道，應取方法在於：修身、齊家、治國、平天下。人與人之關係，則有君臣、父子、夫婦、兄弟、朋友五倫，行乎此者，則可達天下之道。⑲所以當義滿讀完《四書》後，義堂又使其讀《五經》、《孝經》，並爲其推薦諸儒講授。且言：

一人修善，則一家化之；一家修善，則一國化之；一國修善，則天下化之；天下皆修善，則其國之不治，政之不行，其可得哉？故曰：「爲善不同，同歸於治」。⑳

此言治國之本在於爲君者之修善，而修善須向聖賢學習，要向聖賢學習，則須從研讀聖賢書著手，如此，當對政教有益。故宜繼續學習，不可荒廢。又，當義滿垂詢以文武治天下之事時則謂：

修德爲文，止戈爲武。武之用在安天下，不必事干戈。故武王誅紂，戢兵修文。《尚書》〈武成〉曰：「武王伐紂，乃偃武修文」是也。㉑

義堂要義滿做到的，也與他希望足利氏滿要做到的一樣，須重視文治以求得民心，以致天下太平。

由上文可知，義堂所作教化，無不根據儒家學說而爲。他之所以如此從事儒的教化，乃由於認爲儒教是世間教而不可或缺，並且在入佛門方面亦甚爲重要，此可由上舉「凡孔孟之書，於吾佛學，乃人天教之分齊也」，獲得佐證。室町時代雖名衲如雲，但能如義堂之行儒的教化者甚稀。故義堂在日本儒教史上的功績，是可以肯定的。

七、結語

在鎌倉時代（一一八五～一三三三）爲禪林所倡導的儒學，到此一時代末期便開始盛行。當時禪門的儒教可大別爲東渡華僧派、一山一寧派及獨立派。華僧派有明極楚俊、清拙正澄、竺仙梵僊等人。他們對儒學的造詣雖極深，惟因人數不多，故其影響力有限。一山一寧則係於大德三年（正安元年，一二九九），奉元成宗之命，持詔東渡招諭日本未歸的浙江普陀山僧侶。其門下有虎關師鍊、雪村友梅、夢窗疎石、龍山德見等而名衲如雲。獨立派則有辨圓圓爾、夢嚴祖應、宗峰妙超、中巖圓月諸僧。

本文考察的義堂周信屬夢窗疎石門下，亦即爲一山和尙之法孫。一山派儒僧輩出，形成所謂京學。而京學之大成，與室町幕府第三任將軍足利義滿之模仿南宋官寺制度，於鎌倉、京都兩地各設五山，並加以保護有關。

義堂在鎌倉期間，其同門之月山周樞則在常陸（茨城縣）弘揚禪教與儒教，故關東儒學遂因而興盛起來。當時的日本禪僧對儒學的態度是：或持儒、釋二教一致，或持儒、釋、道三教一致的態度，鑽研世間教之儒教，且以之為弘揚禪教之方便手段而加以倡導。義堂的門人有心華元棣、牧中天岩、大椿周亨諸僧。此後其門流大體以京都相國寺為中心，作風平明而工於散文。

義堂以為程朱之學出自禪，故以之為儒學正統而予以鼓吹，對《四書》亦遵從朱子之說，為將軍足利義滿講授《四書集註》，因此他對日本朱子學之普及，自有其貢獻。當時日本禪林之所以學習儒教，乃由於他們認為如要教化世俗，自非倚靠世間教之儒教不為功。故乃從儒釋一致觀，或以禪鍛鍊根本心性以行儒教之世法為目的，或以儒教為入佛教之門而提倡先學儒，故當時禪門儒學之所以興盛的原因在此。職是之故，禪僧們，尤其是臨濟宗僧侶，他們便以朝廷為始，向其侯伯嘗試儒的教化，希望他們都能夠勤政愛民，行仁義之政。例如：夢窗疎石之對後醍醐天皇、足利尊氏、直義兄弟，義堂周信之對足利義滿、基氏、氏滿父子等幕府要員或國家元首的教化即是。而義滿對基氏、氏滿所為儒的教化，係以「政者正也」為其教導方針，其成效有足觀者。

〔註釋〕

①：義堂周信，《空華日用工夫略集》（東京，太洋社，昭和十四年四月），應安二年（一三六九）七月十四日條。

②：參看義堂周信，《空華集》（《五山文學全集》本），卷八。

③：關東，今神奈川縣足柄郡箱根町及其附近一帶，海拔七〇〇餘公尺，其「東海道五十三次」中的一個驛站，謂之

箱根。小田原、三島間之箱根八里，山巒疊翠，羊腸鳥道，形勢險要。江戶幕府在此設關卡，以為江戶之關門。此關以東謂之關東，以西則叫做關西。

④：義堂周信，《空華日用工夫略》，應安元年（一三六八）戊申條云：「四十四歲正旦，坐禪，不出戶而接客。凡俗間賀禮一切免之。（淨）業子建寄八句偈慶歲。余戒以定坐，默不敢輒和」。

⑤：本節據義堂周信，《空華日用工夫略集》立說。

⑥：蘭溪道隆，〈大覺禪師遺誡〉。

⑦：夢窗疎石，〈三會院遺誡〉云：「我有三等弟子，所謂猛烈放下諸緣，專一窮明己事，是為上等。修行不純，駁雜好學，謂之中等。自昧己靈光輝，只嗜佛祖涎唾，此名下等。如其醉心於外書，立業於文筆者，此是剃頭俗人也，不足以作下等」。

⑧：希玄道元，《正法眼藏隨聞記》，第五、一三。

⑨：芳賀幸四郎，《中世禪林の學問および文學に關する研究》（京都，思文閣，昭和五十六年十月），頁二四六。

⑩：義堂周信，《空華集》，卷一二，〈序用文上人詩軸〉。

⑪：同前註書，卷七，至德元年（一三八四）〈古標唱和詩集後序〉。

⑫：同前註書，卷三，〈不文說〉。

⑬：同註一二，〈無文說〉。

⑭：同前註書，卷一六，〈錦江說〉、〈送機上人歸里〉。

⑮：同前註書，卷九，〈和答璣叟〉。參看蔭木英雄，《五山詩史の研究》（東京，笠間書院，昭和五十二年二月），頁二五七～二五八。

⑯：義堂周信，《空華集》，卷一七，〈文仲說〉。

⑰：彥龍周興，《半陶稿》，卷三，〈呈桃源書〉。

⑱：義堂周信，《空華日用工夫略集》，應安二年（一三六九）九月二日條。

⑲：友山士偲，《友山錄》，卷二，〈跋知侍者送行詩軸〉。

⑳：桂菴玄樹，《島隱集》，上，文明丁酉年（一四七七）條所錄〈汝南翁席上用同字和者十章〉之一首。

㉑：萬里集九，《梅花無盡藏》，第三，上，〈正月一日試分直〉。

㉒：萬里集九，《梅花無盡藏》，第六，〈錦江說〉、〈送機上人歸里〉。

㉓：芳賀幸西郎，《中世禪林の學問および文學に關する研究》，頁二五二。

㉔：義堂周信，《空華日用工夫略集》，永德二年（一三八二）十二月九日條。

㉕：參看陳式銳，《唯人哲學》（廈門，立人書報社，民國三十八年一月），頁五九。

㉖：《論語》〈顏淵篇〉。

㉗：義堂周信，《空華集》，卷一七，〈和仲說〉。

㉘：《論語》〈季氏篇〉云：「孔子曰：『益者三友，損者三友。友直，友諒，友多聞，益矣；友便辟，友善柔，友便佞，損矣』！」

㉙：義堂周信，《空華集》，卷一六，〈直叟說〉。
㉚：義堂周信，《空華日用工夫略集》，應安四年（一三七一）六月三日條。
㉛：義堂周信，《空華集》，卷一五，〈以清說〉。
㉜：義堂周信，《空華集》，卷一一，〈演宗講主序〉。
㉝：義堂周信，《空華日用工夫略集》，永德元年（一三八一）九月二十二日條。
㉞：同前註書，永德元年（一三八一）九月二十五日條。
㉟：義堂周信，《空華集》，卷一七，〈文仲說〉。
㊱：同前註。
㊲：義堂周信，《空華日用工夫略集》，應安二年（一三六九）七月十四日條。
㊳：義堂周信，《空華集》，卷一一，〈王岡唱和詩序〉。
㊴：同前註書，卷七，至德元年（一三八四）〈古標唱和詩集後序〉。
㊵：蔭木英雄，《五山詩史の研究》，頁二五一。
㊶：義堂周信，《空華日用工夫略集》，應安三年（一三七〇）八月四日條。
㊷：義堂周信，《空華集》，卷一一，〈築雲三隱唱和詩序〉。
㊸：義堂周信，《空華日用工夫略集》，應安三年（一三七〇）八月十三日條。
㊹：同前註書，應安三年（一三七〇）八月十三條。

㊺：同前註書，應安五年（一三七二）十二月七日條。

㊻：同前註書，應安四年（一三七一）五月十二日條。

㊼：義堂周信，《空華集》，卷一一，〈贈秀上人詩序〉。

㊽：同前註書，卷一七，〈杜甫〉。

㊾：義堂周信，《空華日用工夫略集》，永德元年（一三八一）八月二十五日條。

㊿：義堂周信，《空華集》，卷一八，〈銅雀硯記〉。

(51)：義堂周信，《空華日用工夫略集》，應安四年（一三七一）二月十八日條。

(52)：同前註書，應安七年（一三七四）十月二十四日條。

(53)：中巖圓月，《中正子》〈經權篇〉。

(54)：義堂周信，《空華日用工夫略集》，應安七年（一三七四）十月二十四日條。

(55)：中巖圓月，《中正子》〈經權篇〉。

(56)：義堂周信，《空華日用工夫略集》，應安二年（一三六九）五月七日條。

(57)：同前註書，應安三年（一三七〇）正月九日條。

(58)：《孟子》〈梁惠王章〉，上云：「梁惠王曰：『晉國天下莫強焉，叟之所知也，及寡人之身，東敗於齊，長子死焉；西喪地於秦七百里，南辱於楚。寡人恥之，願比死者一洒之，如之何則可』？孟子對曰：『地方百里，而可以王。王如施仁政於民，省刑罰，薄稅斂，深耕易耨；壯者以暇日，修其孝悌忠信，入以事其父兄，出以事其長上，可使制梃，以撻秦楚之堅甲利兵矣！彼奪其民時，使不得耕耨以養其父母；父母凍餓，兄弟妻子離散。彼陷溺其民，王往而征之，夫誰與王敵？故曰：仁者無敵，王請勿疑』！」

59：義堂周信，《空華日用工夫略集》，應安六年（一三七三）三月十九日條。

60：《大學》〈傳之十章〉云：「《詩》云：『殷之未喪師，克配上帝，儀監於殷，峻命不易。道得衆，則得國；失衆，則失國』」。

61：義堂周信，《空華日用工夫略集》，應安三年（一三七〇）十一月十三日條。

62：《論語》〈衛靈公篇〉。

63：義堂周信，《空華日用工夫略集》，應安五年（一三七二）正月六日條。

64：《孟子》〈公孫丑章〉上云：「孟子曰：『仁則榮，不仁則辱』。今惡辱居不仁，是猶惡溼而居下也。如惡之，莫如貴德而尊士；賢者在位，能者在職。國家閒暇，及是時，明其政刑，雖大國，必畏之矣」。

65：《論語》〈子路篇〉云：「子曰：『善人，爲邦百年，亦可以勝殘去殺矣』！誠哉！是言也」。

66：足利衍述，《鎌倉室町時代之儒教》（東京，有明書房，昭和四十五年五月，影印本），頁二七二。

67：義堂周信，《空華日用工夫略集》，永德元年（一三八一）十二月二日條。

68：陳式銳，《唯人哲學》，頁一。

69：《大學》〈傳之一章〉云：「欲治其國者，先齊其家，欲齊其家者，先修其身」。《中庸》〈二十五章〉則云：「君臣也，父子也，夫婦也，昆弟也，朋友之交也，五者，天下之達道也。……親親，則諸父昆弟不怨」。參看陳式銳，《唯人哲學》，頁九二。

⑺⓪：義堂周信，《空華日用工夫略集》，康曆三年（一三八一）十一月七日條。

⑺①：同前註書，永德元年（一三八一）十二月三日條。

《滄浪詩話》與《潛溪詩眼》①

在南宋末期（西元一二三○年前後）所完成的《滄浪詩話》，乃集唐朝以後詩學之大成的作品，也是大家公認的宋代詩話代表作。《詩話》屬於文學批評的範疇，由於它的對象是詩或詩人，因此多數僅是片斷的記載而已。這種傾向，在詩話興起的北宋時代最爲顯著；唯一的例外，就是《潛溪詩眼》。（後簡稱《詩眼》，大約是十二世紀初的作品。）

《滄浪詩話》共分〈詩辨〉、〈詩體〉、〈詩法〉、〈詩評〉、〈考證〉五篇。就其文章而言，除〈詩辨篇〉外，令人感到它都是僅憑印象寫成的類似拼湊的篇什。《詩眼》則與一般詩話相同，不分篇章，但其每則文章的長度——雖非以長爲能事，卻非《滄浪詩話》所能望其項背。其最長的一則竟達到一千五百二十五字，此乃宋代詩話中無與倫比者。惟我們所要知道的並不在此，而在其內容如何。從各種意義上言《詩眼》實爲最適合與《滄浪詩話》作比較研究的作品。

《潛溪詩眼》的作者范溫②字元實，成都人。父名祖禹（一○四一～一○九八），曾助司馬光完成《資治通鑑》；從曾祖父名鎮（一○○七～一○八七），蜀郡公；岳父是秦觀（一○四九～一一○

〇）。元實曾受業於黃山谷（一〇四五～一一〇五）之門。因他生長在反對王安石變法的舊黨文化圈裏，故可謂爲祖述元祐之學的最忠實人物。在他所著的《詩眼》裏，到處出現東坡、山谷之名，而東坡、山谷實在是《滄浪詩話》的作者嚴羽③所要攻擊的最大目標。嚴羽曰：

近代諸公奇特解會，以文字爲詩，以才學爲詩……且其作多務使事，不問興致。用字必有來歷，押韻必有出處。讀之終篇，不知着到何在。其末流甚者，叫噪怒張，殊乖忠厚之風，殆以罵詈爲詩。詩而至此，可謂一厄也，可謂不幸也！

嚴羽雖如此說，卻時常發表與「近代諸公」——東坡、山谷、范溫等意見相通的言論。這種現象，即使在其重要的論點上亦復如此。當我們看到下列《滄浪詩話》（簡稱「滄」），與《潛溪詩眼》（簡稱「潛」）的三項類似點的對照表時，便可明瞭嚴羽與元祐詩學的密切關係。

一、詩禪說。

嚴羽曰：「以禪喻詩，莫此親切」。④此乃他最得意的理論，實際上只是附和東坡、山谷以後普遍的潮流而已。東坡也曾謂：「暫借好詩消永夜，每逢佳處輒參禪」。對照如下：

滄1.夫學詩者，以詩爲主，入門須正，立志須高。（〈詩辨〉，一條）

滄2.禪家者流，乘有小大，宗有南北，道有正邪。具正法眼者，是謂第一義。（〈詩辨〉，四條）

滄3.大抵禪道惟在妙悟。……惟悟乃爲百行，乃爲本色。（〈詩辨〉，四條）

滄4.然後博取盛唐名家，醞釀胸中，久之自然悟入。（〈詩辨〉，一條）

滄5.學詩有三節……既識羞愧，如生畏縮，成之極難；及其透徹，則七縱八橫，信手拈來，頭頭是道矣。（〈詩法〉，一五條）

潛1.山谷言，……故學者先以識爲主，如禪者所謂正法眼，直須具此眼目，不可入道。（七條）

潛2.蓋古人之學各有所得，如禪宗之悟入也。山谷之悟入在韻，故開闢此妙，成一家之學，宜乎取捷途而徑造也，如釋氏所謂一超直入如來地者。（《永樂大典》本，一五葉背面）

潛3.老杜〈櫻桃〉詩，……如禪家所謂信手拈來，頭頭是道者。（二條）

二、反俗說。

嚴羽雖自〈詩法篇〉的開頭到「除五俗」之目，言文學藝術的最大禁忌爲「俗」；但這種主張卻始於東坡、山谷，而范溫也繼承它。（參閱《九州中國學會報》，第十三卷：合山究著〈宋代文藝裏的俗之概念〉）

滄6.學詩先除五俗：一曰俗體，二曰俗意，三曰俗句，四曰俗字，五曰俗韻。（〈詩法〉，一條）

潛4.王偁定觀好論書畫，常謂山谷之言曰：「書畫以韻爲主」。予謂之曰：「夫書畫文章蓋一理也。……

……獨韻者果何形貌耶」？定觀曰：「不俗之謂韻」。予曰：「夫俗者惡之先，韻者美之極；書畫之不俗，譬如人之不爲惡。至于聖賢，其間等級固多，則不俗之去韻也遠矣」。（《永樂大典》本，一四葉）

三、棄巧說。

嚴羽主張作詩要「自然」，不可刻意雕琢。重視作詩技巧的范溫，其看法亦復如此。

滄7.盛唐人有似粗而非粗處；盛唐人有似拙而非拙處。（〈詩評〉，二條）

滄8.謝靈運無一字不佳。（〈詩評〉，一一條）

滄9.建安之作，全在氣象，不可尋枝摘葉。靈運之詩已是徹首尾成對句矣，是以不及建安也。（〈詩評〉，一五條）

滄10.漢魏古詩，氣象混沌，難以句摘。晉以還方有佳句，如陶淵明「採菊東籬下，悠然見南山」，謝靈運「池塘生春草」之句。謝所以不及陶者，康樂之詩精工，淵明之詩質而自然耳。（〈詩評〉，一〇條）

潛5.老杜詩，凡一篇皆工拙參半，古人文章類如此。皆拙固無取，使其皆工，則峭急而無古氣，如李賀之流是也。（一三條）

潛6.建安詩……其言直致而少對偶，指事情而無綺麗，得風雅騷人之氣骨，最為近古者也。（四條）

⑤

潛7.自《論語》、《六經》可以曉其辭，不可以名其美，皆自然有韻。左丘明、司馬遷、班固之書，意多而語簡，行於平易，不自矜衒，故韻自勝。自曹、劉、沈、謝、徐、庾諸人，割據一奇，臻於極致，無復餘韻，皆難以韻與之。唯陶彭澤體兼眾妙，不露鋒鋩。故曰質而實綺，臞而實腴。（《永樂大典》本，一四葉背）

由此可見他們都排斥那些過分雕琢的「貼金」詩，更排斥多用對句。他們所推許的六朝人物，莫不以陶淵明爲先。所以他們都以詩喻禪，而惡詩之俗，認爲理想的詩，必是朝向「自然」之境的。（若將滄3、滄4、滄5對照看，很可明顯的看出是對謝靈運詩的貶辭。）

那末，《滄浪詩話》與《瀳溪詩眼》的不同處在哪裏？首先比較它們的文體。《瀳溪詩眼》常用對話，而其最具典型的，就是在反俗說中所引的瀳4：

定觀曰：「瀟灑之謂韻」。予曰：「夫瀟灑者，清也。清乃一長，安得爲盡美之一韻乎」？定觀曰：「古人謂氣韻生動，若吳生筆勢飛動，可以爲韻乎」？予曰：「夫生動者，是得其神，神則盡之，不必謂之韻也」。定觀曰：「如陸探微數筆作狻猊，可以爲韻乎」？予曰：「夫數筆作狻猊，是簡而窮其理。曰理則盡之，亦不必謂韻也」。定觀請予發其端，乃告之曰：「有餘意之謂韻」。云云。

這席話令人聯想到《莊子》的表現法。它就以這種問答方式繼續下去，而引出種種議論。即使定觀王偁之說係出自范溫，然在獲得最後解答之前，卻不憚其煩地反覆敍述，藉以表達作者之意念。《滄浪詩話》裏的對話，則絕無僅有；⑥而出現在其文中的詩人，卻都是它批判的對象。它既不讓筆者以外的人物上場發表意見，也不引用其他文學家所說的話，所以從頭至尾都是獨演獨白。首先舉出前人之說，然後附加自己的意見，此乃包含對話在內的中國議論文的傳統形態。若從這點來看，它實打破了傳統的作風。嚴羽對自己所著書，曾作如下的豪語：「是自家實證實悟者，是自家閉門鑿破此片田地，即非傍人籬壁、拾人涕唾得來者」。（〈答出繼叔臨安吳景僊書〉）這與極盡迂迴漸進之能事的《詩眼》的文體較之，只因它過於獨斷——簡單有力的引向結論，故很容易預測其行文是「直線」的。並且很可能走向極端，以致其直線收斂成「點」。嚴滄浪在〈詩評篇〉中討論到中唐、晚唐各期詩人處便是如此。

顧況詩多在「元、白」之上，稍有盛唐風骨之處。（一九條）

冷朝陽在大曆才子中最爲下。（二〇條）

馬戴，晚唐諸人之上。（二一條）

劉滄、呂溫，亦勝諸人。（二三條）

薛逢最淺俗。（二五條）

然他所畫的直線，並不限於一條，有時過於嚕嗦，直線也就多起來。例如他在〈詩辨篇〉第一條說明學詩必須始自古代而漸及近代云：

工夫須從上做下，不可從下做上。先須熟讀楚辭，朝夕諷詠以爲之本，及讀古詩十九首、樂府四篇、李陵、蘇武、漢、魏五言皆須熟讀。……此乃從頂𩕳上做來，謂之向上一路，謂之直截根源，謂之頓門，謂之單刀直入也。

雖然所有的詩話都包含獨白與辯證的方法，嚴羽卻不然。因此，《滄浪詩話》與《詩眼》的文體完全不同；故其評論詩與詩人的手法也就迥然有異。《滄浪詩話》否定「佳句」（滄9、滄10），以爲在一個作品裏不該有部分的優秀（對他而言，如果允許部分的粗劣，那簡直是不值一談的），所以他認爲在讀詩或作詩時，須有摒棄一切的分析。他時常把詩作整體來看，或用整體來把握，因此，如要達到理想的境地，就須「妙悟」與「妙入」。所謂妙悟，或許是眞的懂詩，眞的懂文學的意思。只要能悟，便「七縱八橫，信手拈來，頭頭是道」了。（滄5）那個悟，就是只要熟讀玩味古代傑出的詩，便能茅塞自開；（滄4）而所謂傑出的詩，當然是嚴羽所推許的（前引〈詩辨〉第一條）。因他又說「久之自然悟入」，（滄4）所以如想獲得其推許，必定很困難。若然，則他在〈詩法篇〉中所說的作詩技巧，就非常刻板而缺乏個性，其議論也不夠具體。所以〈詩法篇〉與〈詩辨篇〉光怪陸離的原理論，及〈詩評篇〉針針見血的詩人論較之，實在要黯然失色。

《潛溪詩眼》則不然，它是徹底的分析主義；所以它首先把詩一句一句的分開來讀。范溫雖極重視作品的整個結構，但那也須是把每一部分都扎實以後，才組織成整體者爲上乘。

古人律詩，亦是一片文章，語或似無倫次，而意在貫珠。老杜……〈聞官軍收河南河北〉詩云：「劍外忽傳收薊北，初聞涕淚滿衣裳」。夫人感極則悲，悲定而後喜；忽聞大盜之平，喜唐室忽見太平，顧視妻子，知免流離，故曰：「卻看妻子愁何在」？其喜之至也，不知手之舞之、足之蹈之，故曰：「漫卷詩書喜欲狂」。從此有樂生之心，故曰：「白日放歌須縱酒。」於是率中原流寓之人同歸，以靑春私暇之時即路，故曰：「靑春作伴好還鄉」。言其道塗，則曰：「欲從巴峽穿巫峽」。言其所歸，則曰：「便下襄陽到洛陽」。此蓋曲盡一時之意，愜當衆人之

情，通暢而有條理，如辯士之語言也。（九條）

《詩眼》在這一條裏，更舉出杜甫的另外兩首詩，並以完全相同的手法，細說各句內容，以喚起讀者須充分融會貫通全篇的意思。也就是說，凡爲詩人的，都須以冷靜而綿密的計算爲基礎，故可說它是技巧論意識極強的詩學書。最顯明的例子，就是杜詩工拙參半論「潛5」。范溫於「潛5」之後接著說，今人作詩大抵只模仿到杜甫的「平慢」（即平凡緩慢的表現）就得意萬分。其實是這樣的，——歌頌洞庭湖雄偉的空前名句：「吳楚東南坼，乾坤日夜浮」之後，因有平慢的「親朋無一字，老病有孤舟」一聯，才能襯托其完美的〈登岳陽樓〉詩。⑦若非如此，那就像李賀之以雕琢爲能事的「寶石商店式」的詩。日人西脇順三郎說：「在珠寶店裏，即使擺了許出寶石，也不會覺得很美吧！必須把它放在垃圾堆裏，才會顯出其眞正價値，而作詩也須有故意寫得很笨拙的部分」。⑧我們雖無法得知杜甫究竟是否有如范溫所說「故意寫不好」之處，但詩法這種東西，也許不論古今中外，都有它不變的一面吧！

雖然范溫與嚴羽都排斥「雕琢」，但他們所用的方法卻不相同。故擬從其他觀點來探求兩者內在的差異。

第一、嚴羽在其〈答出繼叔臨安吳景僊書〉云：

又謂盛唐之詩，雄深雅健；僕謂此四字但可評文，於詩則用「健」字不得。不若詩辨雄渾悲壯之語，爲得詩之體也。毫釐之差，不可不辨。

此所謂「但可評文」，也許因雄渾雅健，原爲評柳宗元及《史記》文章所用字眼之故。（劉禹錫在〈唐故柳州刺史柳君集〉引韓愈之書札云：「吾嘗評其文雄深雅健似司馬子長」。）若依嚴羽的說法，則「健」字在稱讚散文時雖很恰當，然在詩中的「健」，則似乎爲相反的價值概念。但是《潛溪詩眼》則把它當作理想的風格，而說出「健」字。那末，究竟怎樣的作品，在怎樣的場合才能把它稱之爲「健」呢？他在第二十五條批判當時「一士人」的七絕「一葫蘆酒一篇詩」之句時，曾援用沈括《夢溪筆談》，卷一四，〈論楚辭九歌東皇太一〉「惠肴蒸兮蘭藉，奠桂酒兮椒漿」時所說：「欲文成交錯，則語勢矯健」。故可知「矯健」就是使用倒錯語句，並進而由正常語句與倒錯語句之並列求得的表現效果。范溫又說：「太史公〈淳于髡傳〉云：『操一豚蹄，酒一盂。』夫敍事猶爾，所謂『一葫蘆酒一篇詩，自有七言無此句法也』」。連敍事的散文都不宜流於平板、平滑，何況是詩？所以必須在緊要地方止滑，方能產生不平滑的「矯健」。止滑的有力武器就是倒錯修辭法。

第二、山谷眞傳的「句法之學」云：

> 昔嘗問山谷：「耕田欲雨刈欲晴，去得順風來者怨」。山谷云：「不如『千巖無人萬壑靜，十步回頭五步坐』」。此專論句法，不論義理。蓋七言詩，四字三字作兩節也。……張平子〈四愁詩〉句句如此，雄健穩愜。至五言詩，亦有三字二字作兩節者。

通常七言詩的句法爲上四下三，而范溫（等於山谷）的詩學裏，則強調此分節之須要更爲完整。千巖云云的杜甫詩句〈憶昔行〉之所以被認爲勝於耕田云云的蘇東坡詩〈泗州僧伽塔〉，實乃後者以一個句子形成一句，而前者則由兩個句子或片語形成一句的關係。(五言詩亦可如此說。)如《昭明文選》，卷二九所載張平子(衡)的〈四愁詩〉四首，其全篇即符合這個句法。故可說它已達到「雄健」與「穩愜」的地步。黃山谷詩的特色，在於不論其作品的一部分或全部，都在製造斷層(文脈之中斷)。⑨這種作詩方法，雖形成「健」的要素，而不傷及「穩愜」，然在事實上，卻被認爲它們可以兩立(如〈四愁詩〉)。

第三、甚麼叫做「健」？爲甚麼要「健」？說起來實在有值得我們思考的地方。

(1)又有意用事，有語用事。李義山：「海外徒聞更九州」。意則用楊妃在蓬萊山，語則又用鄒子云「九州之外更有九州」，蓋如此而後深穩健麗。

李義山〈馬嵬詩〉第一句所要表達的意思，係出自〈長恨歌〉，亦即楊貴妃死後成爲蓬萊仙女而居住海外之事。范溫以爲：在字面上它源於戰國時代的思想家鄒衍，且又以爲有了這種用語與旨意之雙重構造後，其詩才能夠「深穩」而且「健麗」。

(2)老杜〈謝嚴武〉詩云：「雨映行宮辱贈詩」。山谷云：「只此『雨映』二字，寫出一時景物，此句便雅健」。余然後曉句中當無虛字。

杜甫的〈謝嚴武〉詩，就是指〈中丞嚴公雨中垂寄見憶一絕，奉答二絕〉，其開頭二字雖甚難瞭解，但山谷卻認爲該二字把當時的風物表現得栩栩如生，故其第一句是「雅健」的。

(1)的造句法具有內外雙重的構造性，因其關係複雜，所以不易瞭解。(2)是用奇異的語法——至少被門外漢認爲是奇異的，因此也難於理解。若⑴的結果爲「健麗」，⑵的結果爲「雅健」，則一般性的難解難讀，該是詩的「雅健」之源泉。上述兩項的倒錯與斷層，當然也在難解的範疇。《說文》曰：「健，伉也」。伉爲對手之義，更含有對抗之義。因此，若作大膽的臆測，則用於文學批評的「健」字，它在強健、剛健、健全等字義後面，是否也暗示引起閱讀經特別指定的作品者的反感？（《說文》解釋成爲宋詩的特色，而常被提起的「澀」字云：「澀，不滑也」。在與平滑相反，故可認爲在實質上與「健」字同義。）

如上述，《潛溪詩眼》是用極有意圖或作爲的詩法，說明如何達到此「健」字。只因它過分講究技巧，致犯中國詩學上的忌諱，所以便尊重「兼衆妙」且「不露鋒鋩」的詩人陶淵明。尊重陶淵明與自然，是宋代詩話的一般傾向。在這方面，《滄浪詩話》與《潛溪詩眼》具有同樣的觀點。而且它們也正以此爲「交點」，形成非常巧妙的對比。嚴羽注重以直觀來理解詩，並常用渾然一體來把握作品；他之所以排斥「健」，而提倡「雄渾悲壯」，於此便可看出其端倪。

下面擬看「渾」與「健」之美的背後所蘊含者。《詩眼》以爲能接近作詩的目標「健」，就能完成其最重要的使命「意」。這就如字書之訓「意」爲「志」（《說文》與《廣韻》），其原義爲意志。然在討論文藝作品的形成時，則指「人心活動的總體」⑩，推而廣之，則爲指一切事物的「根本精神與本質」。⑪范溫以爲作者如果未先立「意」，其作品便無從產生，所以他反覆討論李白之詩云：

或曰：「李白不云乎『一杯一杯復一杯』？」余曰：「古者豪傑之士，高情遠意，一寓之酒，有所感發。雖無意於飲，而飲不能自已，則又飲至於三杯五斗，醉倒而後已。是不云爾，則不能形容酒客妙處。夫李白意先立，故七字六相犯，而語勢益健，讀之不覺其長」。（第二十五條）

《詩眼》雖反覆強調作詩以前的定意、構想，及表達思想的「命意」、「立意」、「用意」等問題，但他在第十四條中卻說：「山谷於文章必言謹布置，每見後字，多告原道之命意以曲折」。⑫可見這句話是出自於山谷的創作論。

上述「意」的兩個定義，莫不與東坡的文學論或藝術論有關。東坡文學論的重視達意，乃衆所周知之事。然當要作詩文時則謂：

天下之事，散在經、史、子中，不可徒使，必得一物以攝之，然後爲己用。所謂一物者，「意」是也。……此作文之要也。（歷代詩話本。引自葛立方，《韻語陽秋》卷二）

由此可知，與陳師道（一〇五三～一一〇一）或韓駒等江西派有關的詩人，他們與山谷等跟范溫表示同一見解，乃理所當然之事。⑬包括東坡在內的元祐詩學，可謂「意」的詩學；在整個北宋時代，他們佔了當時詩壇的優勢。不屬江西或元祐的劉攽（一〇二三～一〇八九）也在其《中山詩話》裏說：「詩以意爲主，文詞次之。或意深而義高，文詞雖平易，自是奇作」。至於僞稱爲白樂天之作的〈金針詩格〉也有「詩有四鍊之目：一曰鍊句，二曰鍊字，三曰鍊意，四曰鍊格。鍊句不如鍊字，鍊字不如鍊意，鍊意不如鍊格」。因之，范溫曾稱讚這個論點云：「世俗所傳樂天〈金針集〉殊鄙淺，然其中有可取者。云：『鍊句不如鍊意』，非老於文學，不能道此」。這就如范溫所說，因是俗書之故，便可窺見以「意」爲創作的中樞思想之滲透於世俗之一斑。

從客觀的形象——「景」，與主觀的心象，即「景」與「情」的兩個要素之交錯，或融合的觀點深入某一詩篇的「景情」之說，形成於十三世紀後半周弼所編的《三體詩》。該說雖早在九世紀後半，已出現於曾留學唐朝的日僧弘法大師⑭編著的《文鏡秘府論》，地卷第十七，〈勢〉，及南卷，〈論文意〉中，但中國則早在唐宋以後，此說已逐漸普遍。《詩眼》也使「模寫景物」與「吟詠情性」之句成爲對比云：

> 陶淵明云：「採菊東籬下，悠然見南山」。夫既見南山矣，於是模寫景物則曰：「山氣日夕佳，飛鳥相與還」。吟詠情性則曰：「此中有眞意，欲辨已忘言」。於是成篇。

《詩眼》是在景情說尚在發展的階段時完成的。然在十三世紀三十年代完成的《滄浪詩話》，對此事卻隻字未提。厭惡分析的嚴羽，不可能接受討論作品結構的《三體詩》式的批評原理。所以我們必須想起他的詩學原理「渾」方可。那末，渾等於渾一，等於渾沌，源泉就是「氣」。他以爲詩的黃金時代在漢魏時期，（朝日版《文學論集》，頁二八四）所以才說出「漢魏之詩，氣象混沌」（滄10）。

在北宋時代，「意」的時學普及，所以到處都可聽到「詩以意爲主」的話。如要從詩話類找出「以氣爲主」之說雖比較困難，但也並非完全沒有。葉夢得，《石林詩話》，卷上曰：「歐陽文忠公詩，始矯崑體，專以氣格爲主，故其言多平易疎暢」。（《歷代詩話》本）夢得不屬元祐系統，其思想傾向，異於王安石等，故偶爾可見到他批判東坡、山谷的言論。他雖未從正面否定「以意爲主」之說，但他倡「氣格」之說，當非偶然。如將葉夢得與嚴羽兩人直接連在一起，雖非錯誤，但《滄浪詩話》裏的「氣」之詩學，還是從南宋初的張戒《歲寒堂詩話》，即一一三五年以後的作品⑮求其先驅較爲妥適。張戒云：「阮嗣宗詩，專以意勝；杜子美詩，專以氣勝，然意可學也。……氣有強弱，則不可強矣」！（卷上）所謂氣有強弱而爲宿命的東西，係遠承曹丕之說而來。但他很明顯地提起意識在作詩之場合的「意」與「氣」的性質之不同處，這值得特別注意。所以張戒偏袒「氣」的詩人，對「意」的詩人則給他較低的評價。他說：「冗長卑陋。……元、白、張籍以意爲主，而失於少文」。（卷上）又說：「王介甫只知巧語之爲詩，而不知拙語亦詩也；山谷只知奇語之爲詩，而不知常語亦詩也。歐陽公詩，專以快意爲主；蘇端明詩，專以刻意爲工」。（卷上）姑且不論他們之被批評爲只是技巧，或只顧及「意」的詩人，但其理論之與嚴羽的理論發生關係，實乃最重要的事情。這樣，自進入南宋以後，便出現若干極力主張「氣」的詩學，而否定北宋「意」的詩學的詩人。後來，約經一個世紀，這個理論便由《滄浪詩話》的作者使它開花結果。

葉、張、嚴三個人的著作中，都各有其關健語。張是「氣」，葉爲「氣格」，嚴則爲「氣象」，彼此之間的說法稍有不同。「氣」乃形成天地萬物的根本要素，被認爲可以看得見者。「人之所以爲人，其理則天地之理，其氣則天地之氣，理無迹不可見，故於氣觀之」。（《朱子語類》卷六）人的氣，就是形成人體之氣的「體氣」；而形成文學作品的氣，則爲「文氣」；尤其在著眼於言語表現時，就稱之爲「詞氣」。「氣象」原指人體內的氣。《黃帝內經素問》有〈平人氣象論〉篇，平人爲健康人之意。唐代以後則用於人體外的東西爲對象。尤其在宋代，人格及詩文書畫方面多用它。這種評語之所以傳播迅速而廣泛，可能是道學勃興之故。北宋時代的二程子就是較早時期愛用此語者。如「孔子與（曾）點，蓋志同聖人，便是堯、舜之氣象也」。（《程子遺書》，卷一二，〈明道語〉）又如：「須熟玩味聖人之氣象」。（同上，卷一五，伊川語）再如：「觀〈素問〉文字氣象，此只戰國時人作也。所謂三墳書，則非也」。（同上，卷一九，伊川語）所謂「氣象」，就是原來所見到的氣之表現形狀，所以它是沒有限制的東西。「氣格」則假想各種形式的規格，而把氣套入其中，故爲有限制者。嚴羽之所以絕不使用「氣格」一詞，該有其理由在。若反過來說，則氣格是由氣所規定的人物或風格；這對熱心觀察各詩人或各詩代的「氣」之差異的嚴羽而言，當然不可能不對他表示意見。然他是否因而就以「家數」（〈詩法〉，第一七條）替代「氣格」？「家數」雖屬俗語，而指流派等，在這裏則可能表示文體（style），或由文體之優劣而形成的地位（rank），所以，它實與「氣象」形成表裏一致的關係。

嚴羽對詩人的個性極爲敏銳，曾說即使將數十篇詩的作者姓名都密封起來，然後任意取其中之一篇，也可以辨別其作者爲誰。（〈答出繼叔臨安吳景僊書〉）又說：「夫詩有別裁，非關書也」。（〈詩辨〉五條）他這種天才主義宣言，在中國詩史上雖極有名，但那不外是由「氣」而來的決定論。他的詩學前輩張戒早已道破「人才高下，固有分限」，「人才氣格，自有高下，雖欲強學不可能」。（《

歲寒堂詩話》，卷上）加之，在宋學方面——也許嚴羽要居末席，言爲人之「才」（使某種東西成爲可能的「資質」）與「氣」有密切的關係。朱子本身雖好像未採其說，卻有人以爲才是由義而出的。《朱子語類》卷五後面有幾則討論此事的記載云：「才者水之氣力，所以能流者。然其流有急有緩，則是才之不同。伊川謂性稟於天，才稟於氣，是也」。「問：才出於氣？德出於性？曰：不可；才也是性中出，德也是有是氣而後有是德」。《滄浪詩話》重視個性與天才主義，而《潛溪詩眼》乃絕口不提此。因此可說，范溫論詩，是著重於自己的意志力量，即具有冷靜的「詩眼」的人了。

〔註釋〕

①：本文原著者爲京都大學荒井健教授。

②：范溫，正史無傳，生卒年亦不明。若下面所舉宋人蔡絛著《鐵圍山叢談》的記載足以採信，則其卒年與舊黨的陳瓘（一〇五七～一一二四，一說爲一〇六二～一一二六）、劉安世（器之，一〇四八～一一二五）大致相同。據《宋人軼事彙編》，卷一一云：「范內翰祖禹作《唐鑑》，名重天下，坐黨錮事。久之，其幼子溫，字元實，與吾善。政和初，爲其盡力朝廷，還其恩數，遂官溫焉！溫，實奇士也。一日遊大相國寺，諸貴璫蓋不知有祖禹，獨知有《唐鑑》。見溫，指目相謂曰：『此《唐鑑》兒也』。又：溫嘗預貴人家會，貴人有侍兒善歌秦少游長短句。坐間略不顧溫，溫亦謹，不敢吐一語。及酒酣歡洽，侍兒始問：『此郎何人耶』？溫遽起叉手而對曰：『某乃山抹微雲女婿也』。聞者多絕倒。又：嘗與吾論時勢，及開元天寶之末流。元實曰：『天寶之勢，土崩瓦解，

異乎今日魚爛也』。時魯公亦痛悔。一日喟然而嘆，數謂吾曰：『今復得陳瓘、劉器之來，意若可救藥乎』？吾語元實，元實大喜。語吾曰：『公之大人有此心，豈獨海內，乃公之福，弟恐難得好湯使多噍不下耳』。元實極書報二公。而二公是歲皆下世，元實亦為寵妾紅鸞所困，得傷寒，數日殂，可傷哉』！

黃山谷有〈次韻元實病目詩〉云：「范侯年少百夫雄，言行一一無可柬」。此乃崇德三年（一一〇四）山谷六十歲時所作。范溫的詩幾無傳，唯有呂本忠《紫微詩話》所錄下列二句而已。曰：「表叔范元實既從山谷學詩，要字字有來處。嘗有詩云：『夷甫雌黃須倚閣，君卿唇舌要施行』。（《歷代詩話》本）

范溫著書被錄於南宋的《郡齋讀書志》及《直齋書錄解題》兩種書目中。《郡齋讀書志》云：「《潛溪詩眼》一卷，范溫元實撰。溫，祖禹子，學詩於黃庭堅」。（《四部叢刊》三篇本，卷六）以後則可能亡佚而不傳。故郭著《宋詩話輯佚》乃以《漁隱叢話》為主要資料，而僅舉出二十八條而已。然當檢視戰後影印的《永樂大典》時，卻發見在卷八〇七，十一葉至二〇葉裏收錄著《潛溪詩眼》。而《大典》本的十四、十五葉所載長達一五三五字之一條，則為《輯佚》本所未收。至《輯佚》本的第二六條，則又可由《大典》本（一九葉）補六〇八字。但《輯佚》本的第二、三、六、十二、十四、二〇、二七、二八計八條，則為《大典》本所無。其中二、三、二七、二八各條雖可認為非《詩眼》原有的文章，至於其他四條的不一致，則須再予考證。

以上所引用，為根據《輯佚》本及參照《大典》本者，然《大典》本偶有闕誤，故其資料不能全信。

③：嚴羽與范溫一樣，正史無傳。雖現存輯其百四十首左右的詩詞集子《滄浪吟卷》兩卷本及三卷本，但歷來對其評價並不高。相傳他是曾經先後受學於陸象山及朱子的包揚（字顯道）的弟子，可能受到這兩大思想家若干影響。《滄浪詩話》與《潛溪詩眼》

以下所說明有關嚴羽的事，請參照荒井健、興膳宏的《文學論集》（朝日新聞社刊，《中國文明選》，第十三冊）的《滄浪詩話譯注》。至於本文所引用的《滄浪詩話》，也是根據此《論集》，各篇條目號碼，也與此集一致。

④：此二句見《滄浪詩話》〈答出繼叔臨安吳景僊書〉中。以下所用書簡，根據正德十五年刊本《滄浪先生吟卷》，卷一。

⑤：「指事情而無綺麗」的「無」字，係根據《永樂大典》本補上。

⑥：唯一例外，就是〈詩評篇〉第八條：「或問唐詩何以勝我朝云云」。

⑦：杜甫〈登岳陽樓〉詩云：「吳楚東南坼，乾坤日夜浮」。語既高妙有力，……洞庭之大，無過於此。後來文士極力道之，終有限量，益知其不可及。……詩先如此，故後云：「親朋無一字，老病有孤舟」。使洞庭詩無前兩句，而皆如後兩句，語雖健，終不工。……今人學詩，多得老杜平慢處，乃鄰女效顰者。

⑧：西脇順三郎、山本健吉，《詩の心》（曾野書房刊），頁三〇一。

⑨：請參閱荒井健，《黃庭堅》（岩波書店）的解說。

⑩：請參閱小川環樹、山本和義，《蘇東坡》（朝日新聞社），頁三〇的解說。

⑪：請參照福永光司，《藝術論集》（朝日新聞社刊），頁三七〇，〈東坡論書〉第十二條。

⑫：布置、命意，都是指聚精會神於作品之結構。元王構所編，《修辭鑑衡》，卷一引《詩憲》云：「布置者，謂詩之全篇用意曲折」。

⑬：「陳無己（師道）先生語余曰：『學詩之要在乎立格、命意、用字而已』。」（張表臣，《珊瑚鉤詩話》，《歷

代詩話》本，卷二）「凡作詩須命終篇之意，切勿以先得一句一聯，因而成章；如此則意多屬，然古亦不免如此。如述懷、即事之類，皆先成詩而後命題者也」。（《詩人玉屑》，卷六所引韓駒陵陽室中語）「作詩必先命意，意正則思生，然後擇韻而用，如驅奴隸。此乃以韻承意，故首尾有序。今人非次韻詩，則遷意就韻，因韻求事。至於搜求小說、佛書殆盡，使讀之者惘然不知所以，良有自也」。（同上）

⑭：空海（七七四～八三五），日本平安時代（七九四～一一八五）初期僧侶，「眞言宗」始祖，諡號弘法大師。十八歲時，學外典於大學寮，以爲儒、佛、道三教之中，佛道最優，遂出家。公元八〇四年入唐。八〇六年回國。十年後，於日本京都附近的高野山創建金剛峯寺，以弘揚眞言密教。又開辦綜藝種智院，以教育庶人子弟。空海擅長書法，與嵯峨天皇（七八六～八四二，第五十二任日皇）、橘逸勢（？～八四二，平安前期之官人），同被稱爲「三筆」。

⑮：卷上有「乙卯冬陳去非初見余詩云云」一條。按：乙卯爲宋高宗紹興五年（一一三五）。

（譯自《東方學報》，第四十四冊　日本京都　昭和四十八年（一九七三）二月。此譯文原刊於《國語日報》〈書和人〉，第二九五期，民國六十五年九月四日）

《水滸傳》裏的兩個宋江①

一、宋江的人品

《水滸傳》所描寫的主角宋江，實在是一個莫名其妙而且不可思議的人物。盤據梁山泊，身爲一百零八個豪傑的首領的他，不但屢經官軍的討伐而不動搖，反而一再俘獲官軍大將。如此，他一定會被認爲是一個勇猛的豪傑。其實，他只不過是一名地方小縣職司文書，出身平凡的書記而已。既沒有縛雞之力的雙手，也沒有閱讀孫吳兵法的才華。雖然他只是如許人物，可是江湖間的俠義之士、或舉世無雙的刁棍，只要一聽到他的名字，就會五體投地，匍匐在前。那末，他的俠義之心究竟如何？至多不過常把金錢施捨給貧民，或是即使一再受到敲詐也不動怒而已。

既然只是如此，他在一百零八人當中，何以獨能率領其他一百零七個豪傑？這實在令人費解。如果由我來補充《水滸傳》作者所遺漏的說明，我或許可以說：宋江雖然相當無能，但他頗有自知之明，絕不以自己的才華來跟別人相比較，按一般情形，一個人的才華如果有半瓶醋的程度，他就會對自己頗有自信。既有自信，當遇到有人與自己程度相仿的時候，就會查明別人對自己的信賴程度，不由得將他與自己作個比較研究。假使能看清對方確不如己，才會放心；否則，競爭心便油然而生。若果如此，則不是看不見對方的長處，便是懼怕對方的長處，終於不能把他當作自己部下來任用。就這點而言，宋江的「無能」確是無與倫比的。如以歷史人物來比較，他倒跟漢高祖劉邦相似。中國人喜歡給這類人物以較高評價。在這炎涼世態中，有時的確須要這種既無能，又能自覺自己無能而不作威作福的人物。

說到宋江火伴②的數目，起初爲人所知的，只有三十六人而已。自北宋末，至南宋滅亡時，近二百年的歲月中，這三十六人之數原有一定。當我們看到南宋末年所知的名簿時，與現今《水滸傳》的天罡星三十六人名稱大致相同。

在三十六個大頭目之下，首先說到還有七十二個小頭目的，可能始於元代。因爲元雜劇的科白中，時常出現「三十六大夥，七十二小夥」的話。「夥」固爲火伴之意，如將頭目說成火伴，其含義也差不多。雖然如此，這一百零八人的名字，元代可能還沒一一固定。其名字之固定不變，當在最後階段，亦即作者首次撰寫這部小說的那一剎那間才決定的。

大家都知道，《水滸傳》是一部章回小說，它把相當於一章的叫做一「回」。每一回，都以對句作標題。其第七十回可以說是前後兩個部分的分水嶺。七十回以前，描寫這一百零八個豪傑用各種方式聚集梁山泊水寨的經過。它明白規定出他們每一個人的排列順序，並賦予他們防禦水寨所應當擔負的任務。故事至此便告一個段落。

第七十回以後，敍述宋江等一百零八人接受朝廷招撫，參加官軍征討叛軍行列的故事。其中規模最大的，就是與起自浙江方面的方臘叛軍作戰。這一百零八人的大半，雖然因爲這一戰役而陣亡或病死，總算順利破了敵，俘獲了方臘。凱旋班師。宋江固然立了這個大功，然而當時政治腐敗，不久竟受到朝廷懷疑，被賜毒酒而死。當宋江悟及自己的死期已到，還深怕粗暴的李逵會謀叛，就叫他到自己身邊，同赴黃泉。因此，《水滸傳》是以悲劇收場的。

《水滸傳》之採目前形式，當在十六世紀與十七世紀之交，這部小說一經問世，立刻受到社會人士熱烈歡迎。明朝人不太喜歡嚴肅的書，正史讀得不多，所以似乎把參與討伐方臘的將軍宋江當作《水滸傳》的主角了。當他們偶或閱讀《宋史》，發現書中記載宋江與其三十六個火伴在一起蹂躪地方，以及張叔夜擬招降他們的文字時，便以爲《水滸傳》不是杜撰的小說，而是根據史實來敷衍成書，因而未免大吃一驚。

《水滸傳》之被看作非僅消磨時間的娛樂性讀物，而是一部優秀的文學作品，並且公然重估其價值，再從純文學作品立場來加以研究，在日本是從大正時代（一九一二～一九二六）開始，中國則在民國以後。提倡文學革命的胡適之，尤傾倒於這部口語小說。他乃將小說本文加上新式標點，使大家容易閱讀，並附上自己的研究心得。從那個時期開始，無論中國或日本，都相繼發表研究《水滸傳》的文章，呈現出空前的盛況。

中共佔據大陸以後，更熱中於《水滸傳》的研究。但是他的興趣不在小說本身，而將注意力集中在歷史上實在的宋江等人物。大家都知道中共以唯物史觀爲其理論根本，無論甚麼叛變，都認爲是有志革命的農民起義，似乎以爲社會由此就能進步。因此，宋江這一夥人盤據梁山泊的反政府行動，也當然被看作農民起義的例子之一了。難怪蘇金源在一九六三年曾經將有關宋江的史料編入《宋代三次農民起義史料彙編》這一書中。

中共式的唯物史觀，把過去對歷史的評價完全顚倒過來。就宋江而言，特別有趣的，即是凡過去一向被認爲反政府的盜賊集團行爲，全都變成農民起義。至於日後歸順朝廷，參加討伐方臘行列，經付極大犧牲，方得成功的忠貞不二的捨身救國行動，反而成了背棄農民大衆的舉動而受到排斥。這好像宋朝的民族英雄岳飛，他雖然爲朝廷敉平內亂，除去後顧之憂，但此一功勳竟反成爲他無法抹去的污點，而受到彈劾一樣，乃是命運的捉弄。

上舉《宋代三次農民起義史料彙編》一書，並未把宋江的事跡作獨立項目來處理，只以他作爲方臘起義的附錄，彙集在一起而已。此乃因宋江等人在歷史上的實際影像，遠較方臘爲小，又把宋江在最後處身官方之事，視爲扼殺方臘等人所謂「農民起義」的見解使然。該書編者贊成清代史學家畢沅（一七三〇～一七九七）的意見，並原原本本地引用他的案語說：「如此，宋江討方臘事，史有明證」。就畢沅而言，這個案語固然也是他對宋江的美辭，但同時其意義卻相反的變成宋江的反動行爲，沒有辯護餘地。

二、近年出土的新史料

有關宋江的史料，雖然散見於宋代史書，卻都是屬於片斷的，很難把握其全貌。因此，即使歷史學家把那些史料作種種系統的組合，也因爲無法作最後決定引以爲憾。然在民國二十八年間，即當德軍入侵波蘭，爆發第二次世界大戰之際，東亞則因日本侵華而陷入難於自拔的泥淖中時，在陝西省東北端的府谷縣發見了珍貴的新史料——鐫刻著北宋范圭所撰《宋故武功大夫河東第二將折公墓誌銘》的碑石。此〈墓誌銘〉所謂的「折公」，就是武將折可存。

府谷縣位於陝西省東北端，爲黃河大彎曲（河套）所包圍處，相當於中國本部與內蒙交界的地方。宋朝時候，出身異族的大勢豪族折氏，在這附近盤踞著。折氏世出名將，曾率其部民爲宋帝國效力。北宋末時，折可求即代表這一族，爲防止金軍入侵而奮戰，終因力竭而降敵。此墓碑所載折可存，就是折可求的弟弟。③

把新出土的〈折可存墓誌銘〉繼續讀下去，便可知道它記載了一件極重要的事實。那就是折可存是宣和三年（一一二一）前往討伐在東南方叛亂之方臘的將領之一。他因爲建立若干武功，乃獲得武節大夫的職銜。方臘戰敗被俘的日期爲四月二十六日。折可存凱旋還都，他受命追捕「草寇宋江」，可能是在返京途次。該〈墓誌銘〉云：

臘賊（指方臘）就擒，遷武節大夫。班師過國門，奉御筆，捕草寇宋江。不過月，遷武功大夫。

如依上文解釋，所謂「過國門」，就是經過首都開封的城門；然而如果以事情發生的前後情況判斷，那他僅僅回到接近天子所居的京畿地方而已。

第二個重大問題，就是「草寇宋江」爲誰？因爲就在這時以前，名爲宋江的將軍還曾經參加討伐方臘，對朝廷有過很大貢獻，給這個問題找到答案的，就是在國立臺灣大學執教的牟潤孫博士。牟氏曾經在民國五十一年（一九六二）發行的臺灣大學《文史哲學報》第二期發表一篇題目爲〈折可存墓誌銘考證兼論宋江結局〉的論文。按前舉中共方面的《宋代三次農民起義史料彙編》，乃暴露其當前學術水準低落的粗糙作品；牟氏論文，則係遵循中國考據傳統的著作。但其結論正確可靠與否，卻不易證實。

如據牟氏考證，則宋朝的政策就是不把權力賦予立有戰功的幹練武將，而始終持著懷疑他們是否會隨時叛變的態度。就北宋中期的名將狄青而言，也只儘量利用他而不重用於中央政府。迄至南宋，岳飛固然立了不少汗馬功勞，爲中興大宋帝國而盡力，最後還是以謀反罪嫌「莫須有」而被處死。宋江也是遭受同樣命運的實例之一。只因他征討方臘有功，遂招致朝廷文士政客的嫉妒，所以在平定方臘之後不久，由於朝廷之魔手而不得不叛，或只有謀叛嫌疑，就受征討，終成階下囚。在紀錄上，固然沒有發見在那以後的事，但政府的措置既然如此，則宋江結局之爲悲劇性質，實可想像。總之，《水滸傳》這部小說之所以把宋江描寫成悲壯死亡，必然在反映著某種事實。

牟氏的這種看法，可能包含許多情感成分。宋江雖僅僅是小說的主角，卻已成爲家喻戶曉的人物，深深烙在一般民衆的腦海中。即使是學者，其想法也不可能完全離開大衆的影響，於是遂不自覺地利用《水滸傳》的影像，來謀解決史實的問題。

然而就我們的立場而言，牟氏的論說不無令人有急於解決問題之嫌。在本人最後判斷之前，實在應把史實作根據，來作更深的探討。牟氏固然曾經檢討過折可存的〈墓誌銘〉，卻忽略了宋江被捕的年月日。該〈墓誌銘〉雖言：「不逾月，宋江亦繼獲」。④但嚴格地說，這個「不逾月」到底在甚麼時候？

如前文所示，方臘之被擒，係在四月二十六日。如果以這一天爲起點來說，「不逾月」，就是不逾越四月底，而它距離月底的二十九日，不過幾天而已。若然，則時間未免太短，事實上不可能。因爲折可存從征討方臘的前線，帶領部隊返至國都附近，實在很難能在四月二十六日以後，四月底以前到達。故此「不逾月」，必與下一句「過國門」的時間爲起點來計算。然則他返國門的時間，到底在哪一個月？按各書對此都沒有記載。此乃〈墓誌銘〉寫得不好。其實撰者本身是否知道其正確日期，也難免令人懷疑。中國的紀錄之有這種缺點，乃司空見慣之事，不值得驚異。在這種時候，除找尋其他資料，實在別無他法。

在這當兒，剛好我身邊有很好的資料——南宋王偁所撰的《東都事略》——可以參考。該書宣和三年條云：

五月丙午（三日），宋江就擒。

《東都事略》這部書，乃提供編纂宋史的原始文獻資料之一，其記載一向被認爲非常正確。惟就右舉文字而言，不但書法極爲唐突，而且又找不到可以與其相對應的史料，所以，前此歷史學家都躊躇著而未予利用。然在今天，既出現其根本史料——〈折可存墓誌銘〉，又因該〈墓誌銘〉言方臘於四月二十六日見縛後，宋江也接著被擒，遂使《東都事略》這項記載，驟然生動起來，使人不得不承認宋江確實是在五月三日被捕的事實。

認定這種事實，固然會招致意外結果，但是既要遵從史學方法的約束，則任何人都不容有異議。

奉宋朝政府之命，前往討伐方臘叛變的總司令爲宦官童貫。在他麾下的將領中，姓名可知的有二十人左右，宋江即是其中之一。記載此事前後之宋江活動的根本史料，就是南宋李埴的《皇宋十朝綱要》及楊仲良所編的《續資治通鑑長編紀事本末》。這兩種書的記載極爲正確，學術界已有定論。

這些書有兩個地方記載宋江的重要貢獻，其一是四月二十四日，當官軍包圍逃進幫源洞的方臘時，宋江曾繞至洞後截其逃路。於是成爲袋中鼠的方臘，在二日後爲官軍所俘。

渠魁方臘固然就擒，由於叛亂綿亙六州之廣，故其餘黨仍在各處從事抵抗，所以官軍就非分派諸將前往掃蕩不可。而這時，宋江也仍在當地賣力。其最後貢獻，則是在六月五日，與辛興宗等人擊賊軍於上苑洞而獲勝。由此勝利，方臘引起的叛亂，才大致敉平。

這樣看來，此四月與六月兩個日期之間的五月三日，實不可能會是同一個宋江被擒。必定是被擒的那一個宋江是另有其人。

三、宋江有兩個

如依前面所說，則參加討伐方臘的將軍宋江，他的確於四月間在前線作戰，但是到了五月，居然逃出軍中，幹起盜賊勾當，變成草寇宋江，而爲官軍所擒。至六月初，竟又返回軍中，當起將軍來。此事除非推理小說，且無論宋末多麼擾攘，也不能認爲這是一種事實。可是，記載這種事實的，無論是新出土的〈折可存墓誌銘〉也好，南宋即有的《東都事略》也好，《皇宋十朝綱要》也好，《續資治通鑑長編紀事本末》也好，都是不容置疑的確實史料。既然如此，則我們所應有的結論，除非認爲「將軍宋江」與「草寇宋江」，是完全不同的人物，實無法再下其他判斷。

當得到這種結論以後，重新閱讀史料，便可知道前此雖然以爲只有一個宋江，那些史料都一開始已說明有兩個了。

以盜賊頭目身分，率領其三十六個火伴的宋江，其開始出現於紀錄的時間，乃在宣和三年（一一一九）十二月。當時他被稱爲山東大盜宋江。所謂山東，固然是不着邊際的說法，卻大致可認作是現在的山東省。名爲梁山泊的大湖，也在這個區域。自此以後，約有一年時間，宋江似在蹂躪山東地方，他的行動散見於各種紀錄裏。

迄至宣和三年，宋江等人南下入淮南路，更北上入侵京東東路的淮陽軍。《宋史》云：

二月，淮南盜宋江等，犯淮陽軍。遣將討捕。

它的意思就是當朝廷接到淮陽軍報告宋江入侵的消息以後，即遣軍討伐。就如前文所說，淮陽軍屬於京東東路，而宋江等人係從淮南路方面入侵，所以才稱他們爲淮南盜的。如果他們實際出發的地點，靠近淮陽軍的山東，而不爲官軍所知，則這種情形在當時而言，並不值得訝異。

被稱爲山東之盜或淮南之盜的宋江，從宣和元年起，至宣和三年止，他確以盜賊身分蹂躪各地這一事實，對我們非常重要。因爲在同一個時期，另一個宋江的身分卻是官軍的將領，而其存在也確有證據。

自從這個大盜宋江出現後一年左右，方臘之徒在浙江方面叛亂；此叛亂與偷雞摸狗似的輾轉掠奪各地者不同。他們佔領六州的廣大區域，樹獨立政權，擊敗官軍，殺害官吏，猖獗一時。因此，朝廷大爲震驚，乃以宦官童貫爲統帥，動員二十餘萬大軍，前往討伐。官軍集結首都開封，於宣和三年正月七日出發。當時從征者有劉延慶、劉光世、辛企宗、宋江等威名顯赫的將領。這項記載並見於最值得信賴的根本史料——《三朝北盟會編》所引《中興姓氏奸邪錄》，無絲毫令人置疑處。童貫於正月二十一日渡長江，抵鎮江，故其麾下諸將也應在此前後到達長江南岸。然在二月，山東淮南地方的渠魁宋江，卻依然活躍著，所以絕不能視此兩個宋江爲同一個人。賊首一開始就是盜賊。官軍的將領宋江也一開始就屬於官軍。既然如此，則此頭目宋江乃是五月見擒的草寇宋江，而四至六月平定方臘叛亂的宋江，乃是官軍將領宋江，絕無置疑餘地。無論甚麼人怎麼說，只要遵從歷史學的約束，便可知道：當時確實有兩個宋江同時存在。

那麼，前人何以會把兩個宋江誤認爲好像只有一個？這似有種種理由在：

第一，「宋江」這個名字，出現在紀錄上的時間相當短，那是從宣和元年起至三年止，僅僅三年歲月而已。由於宋江這個名字之出現有如曇花一現，所以任何人都會有他們是同一個人的感覺，此乃理所當然之事。宋江這個名字並不奇僻，姓宋的人既多，江這個名也很平凡。何況此名在過去歷史上，未曾成爲名人出現，在此以後，也並不多見，因此，更容易使人產生只有一個宋江之觀念。

第二，前人之所以誤以爲宋江只有一個，乃是爲《宋史》所誤。因爲《宋史》有關宋江的記載寫得不好。宋江之於宣和三年二月出現淮陽軍地方，雖並見於其他書籍，但《宋史》卻在這則記事之後，把朝廷命張叔夜招降宋江之事一併紀錄。固然只要仔細閱讀，就可以知道這個記事的後半段文字所記的乃是指很久以後發生的事；然而若是倉卒閱讀，就會把它看成同一個月，亦即宋江在二月出降。如果宋江眞在二月出降，則未必趕不上參與四月以後發動的討方臘之戰。此事有助於塑造宋江之搖身一變爲將軍宋江的推測。

《宋史》被列入二十四史之中，視爲正史之一。然而其內容頗多杜撰，在學術界已有定論。只因它是二十四史之一，而常放置身邊，成爲首先披閱之書，以致容易誘導成見。《東都事略》遠比《宋史》正確，這原因是由於《宋史》編纂在元朝將亡之際，而《東都事略》的成書則是在有關北宋的史料極其豐富的南宋之故。前文已經說過，宋江五月就擒之事被紀錄得很清楚，如先讀《東都事略》，就不致爲《宋史》所誤了。

第三，前人之所以認爲宋江只有一個的原因，在於過分相信《宣和遺事》。《宣和遺事》乃是一本歷史小說，書中舉出宋江等三十六人之名，以及他們結成一個集團的始末，而以宋江參加討伐方臘有功作結束。

正式紀錄與史書均未明白寫出盜賊宋江變成將軍宋江的事。唯有《宋史》〈侯蒙傳〉言：身分相當於副宰相地位的侯蒙曾上書朝廷，擬請赦免盜賊宋江之罪，使他歸降，以參加討伐方臘的行列。此事固已得天子同意，卻在把這計畫付諸實施之前病沒了。除此之外，可以說完全沒有類似的記載。因此，將侯蒙的計畫推演成書的，實以《宣和遺事》爲始。

關於《宣和遺事》成書的年代問題，歷代學者衆說紛紜，迄無定論。雖然有人說它是完成於宋代，可是依我看來，沒那麼早。無論怎樣看，都只能認爲它是元代以後的書。不過它比《水滸傳》早，則是可以確定的。又因爲它只是一部歷史小說，所以不論其成書年代多麼早，書中所說的，也都不能成爲事實的根據。可是它給讀者以「盜賊宋江，就是將軍宋江」這一成見之心理效果，是無須懷疑的。

第四，前人把兩個宋江混爲一談的第四個原因，在於《宋史》及其他各書，多有朝廷招降宋江，或宋江出降的字樣出現。這種招降或出降字眼，未免暗示宋江有充分選擇餘地。從而令人推測：在那個時候，曾有過交涉參加討伐方臘之事的可能性。然《宋史》〈張叔夜傳〉記載所謂宋江出降的實際情形是這樣的：

由於宋江入侵海州附近，海州知州張叔夜乃派間諜，偵察賊徒的動向。後來發見宋江等人走海岸，奪大海船十餘隻，正準備裝載賊物逃走。叔夜乃招募敢死隊，得千餘人，在海州附近設伏。並且另遣輕裝部隊，使之向賊挑戰，詐敗而誘賊到州城附近。這時候，除由伏兵包圍賊黨外，其潛行海外的另一支部隊，就把賊徒的海船燒燬。賊徒因此失去鬥志，終於大敗。其副賊被俘。宋江見大勢已去，遂不得已投降。

這裏所說的副賊，大概是盧俊義。此時出降的宋江，究竟是因進退維谷才降呢，抑或如《水滸傳》所言，由於他們彼此結拜爲兄弟，雖非同年同月同日生，卻曾約定同年同月同日死，所以才遵前約而出降？如果單憑這些史料，實在無法判斷。然而他這種舉動之爲大敗仗所導致的結果，是無庸置疑的。若然，則其他史料如《東都事略》，把這個出降事實紀爲就擒，絕無不妥的地方。

實際存在的宋江，僅因爲一個地方官——知州的計謀，及他所募千人之敢死隊而慘敗，致被迫降之事實，殊值得注意。若然，則此宋江的實力遠不如方臘。以此程度的實力，即使被編入官軍，也無法與童貫麾下的劉延慶、劉光世、辛企宗等驍勇大將並駕齊驅。因宋江的分量，根本不能與那些將軍同日而語啊！抑有進者，跟隨童貫討伐方臘的部隊，係經過精挑細選的，其將官則須曾在陝西作戰有功的。因此，當我們越檢討各種紀錄加以比較，則盜賊宋江就是參加討伐方臘之將軍宋江這一可能性就越小了。

四、《水滸傳》文學的根本問題

前此以為必定是同一人物的宋江，由於文獻上的證明，得知一是盜賊，一是將軍，實際竟是兩個完全不同的人時，這個新事實就會影響到《水滸傳》之文學的評價問題。也就是說，我們不得不重新檢討以往許多學者公認的定論。

《水滸傳》之首次以目前的形式出現，可能是接近於現存的百回本。由於生存競爭的失敗，或受無道官吏壓迫而落草的一百零八人，經過迂迴曲折而抵梁山泊，乃首回至七十回所敍。其後三十回則記敍宋江率領其火伴歸順朝廷，征伐大遼國，使之投降以後，又平定方臘之內亂，而立大功。終為朝廷所疑，致被毒死的經緯。

此外，作者為已歸降朝廷的宋江等人，從事更多工作，以提高其名譽，乃在征遼、征方臘之間，再加入了平定田虎、王慶之叛亂的故事，來增加其章回的，叫做百二十回本。

向來抱著敵對政府的態度，據守梁山泊與官軍作戰的宋江集團，驟然歸降朝廷以後，又表現無比精忠的故事情節，實令人有不調和之感。在悠久的中國歷史裏，綠林豪傑之就撫朝廷，又為政府立大功的例子，未必完全沒有。即就太平天國之亂而言，亦常出現與此相類的人物。就以張國梁來說，他是從叛軍中歸降的，後來晉陞為討伐太平天國之所有官軍的副司令，終於壯烈陣亡。不過這種人物絕不能成為民族英雄，因他本人只為命運所播弄，隨著周圍情況之變化而改變身分，並非一開始就有對朝廷忠貞不二之心啊。

就《水滸傳》裏的宋江而言，如果他當初與其他盜賊並無二致，而以某種理由歸順朝廷，既歸順朝廷，服從政府命令，並參與困難的戰爭，則其獲得應有的功業之故事，就非常自然。但在那故事裏，卻加上種種理由，既與官軍作對，卻言忠於國家，說是要代天行道而非革命，殺了人，卻說沒做過壞事。這是越說明越使人覺得不自然，難以相信的事。這樣的作品，是否能夠譽爲上乘的歷史小說？此一疑問，相信任何人都會有。而擬予這種疑問以答案的，就是明末清初的才子金聖嘆（一六一〇～一六六一）。⑤聖嘆乃今日文藝評論家的鼻祖，他十歲入塾讀《論語》、《孟子》，覺得枯燥無味，第二年因病輟學。輟學期間，曾私自閱讀《水滸傳》，這遂成爲決定他日後生活方式的主要因素。他對《水滸傳》，頗爲傾倒，至言：「天下文章，無有出《水滸》之右者」。他所稱的《水滸》，是指七十回本，通常所謂正篇，亦即元人施耐庵的原著，爲天下第一名文。七十一回以後的續篇，係不度德量力的明人羅貫中所僞作，這是既可笑復可憐的拙劣作品，換句話說，想讀梁山泊痛快淋漓之豪傑傳記的人，七十回本已夠了。如想看宋江改變身分，爲官軍將領以後之無價值戰爭故事的，則只要閱讀續篇即可。於是他析出七十回，賦予「第五才子書」之名，並加上自己的評論與評語然後出版。

因爲別無證據，所以我們難於說出金聖嘆所謂百回本《水滸傳》的前七十回爲施耐庵所作，後三十回爲羅貫中所益這句話到底是否正確。然當我們平心閱讀《水滸傳》時，只要是現存的百回本，它實有前後互相呼應之處。因此，它之經由一人之手完成，大致不會有問題。不過卻以七十回爲界，其前後之間，在本質上有難於抹去的色彩差異，及彼此傷害、削弱對方的感覺。金聖嘆這種傑出的洞察力，早就看穿其弱點，乃斬釘截鐵的斷言，其前後章回爲經由兩個完全不同人物之手撰寫的，眞是快人快語。若從文獻學上言，他的這種見解，可能難免被譏爲過於武斷。但如從整體來看，就反而會對其傑出的文學修養表示敬意。

金聖嘆雖非歷史學家，但他可能從其文學的修養來讀歷史，而對盜賊宋江之參加討伐方臘，表示懷疑。因爲他曾對當時的政治家侯蒙上奏擬請赦免宋江的史實，加以批評，認爲此乃大錯特錯。罵他如果實施這種政策，則「何其不知大破公事，爲世僇笑」啊！由此看來，金聖嘆無論在文學上或歷史上，都似乎想把宋江停滯在梁山泊。

文學與歷史，在性質上本不相同。小說若非一般小說，而係歷史小說時，也不能完全抹煞史實。這道理與上演古裝戲時，風俗的考證佔有某種程度之比重的情形一樣。就歷史小說而言，不但創作者須有史學的修養，而且評論家也不能缺少它。就金聖嘆而言，他不僅有文學的修養，也兼具卓越的歷史修養，此乃罕見的例子，應予珍視。

金聖嘆固然拋棄七十回以後的文字，成功地除去整體上的不調和感，卻因把「有不如無」的評語加在本文後面，以致產生另一種不自然。此乃由於他過分尊重形式性文章法則所致。就這點來說，胡適博士在民國初年所作的批評，較爲中肯。可是胡博士也像復刊七十回本《水滸傳》的劉復似的，具有無條件禮讚「金聖嘆的《水滸》，總比其他一切《水滸》都好」的傾向。

如有人問及我個人對此書的意見，則我認爲與其由文獻學的正統性來珍視百回本，無寧從純文學的觀點來贊成七十回本。蓋歷史小說本來就含有濃厚的文學成分，而與史實相出入，不過如果兩者都能夠趨於一致，那就最理想了。因爲這樣，可以使它更像歷史小說。

〔譯者註釋〕

①：本文原著者爲京都大學名譽教授宮崎市定博士。本譯稿的原文爲東吳大學教授翁同文先生所提供。原書亦名《水滸傳》，日本昭和五十二年（一九七七）十一月，東京，中央公論社出版，編爲中公新書二九六號。本文爲原書第二章。

宮崎市定教授，是日本當代最傑出的漢學家之一。日本明治三十五年（一九〇一）八月，他出生在日本長野縣飯山市。長大後，先後畢業於飯山中學，松本高等學校文科、京都帝國大學文學部史學科。隨即擔任母校京都帝國大學助教。昭和九年（一九三四）後升任京都帝國大學文學部講師、副教授，昭和十九年升任爲京都帝國大學教授。二十二年（一九四七）四月以《五代宋初之通貨問題》論文，獲得文學博士學位。二十五年（一九五〇）擔任京都大學文學部部長，兼代教育學部部長。三十三年（一九五八）以《九品官人法研究》一書，榮獲日本學士院院獎。次年兼任京都大學人文科學研究所教授。三十五年（一九六〇）曾先後出席在莫斯科舉行的第二十五屆國際漢學家會議，及在斯德哥爾摩舉行的國際歷史學會議。三十五年、三十六年，曾先後擔任巴黎大學客座教授、哈佛大學客座教授，赴法國和美國各一年。昭和三十八年（一九六三）起主持京都大學大學院文學研究科科務兩年，於四〇年（一九六五）退休，並且榮獲京都大學名譽教授的頭銜，專心研究及著作至今。

他的著作，除單篇論文分別發表在報章雜誌上有數百篇之多外，已經出版的專書，也有二十本左右（目前，其所有論著已以《全集》方式刊行），其中較爲重要的，有左列幾種：

《五代宋初之通貨問題》　昭和十八年（一九四三），星野書店出版
《雍正帝——中國的獨裁君主》　昭和二十五年（一九五〇），岩波書店出版
《中國古代史概論》　昭和三十年（一九五五），哈佛燕京同志社出版
《九品官人法研究》　昭和三十一年（一九五六），東洋史研究會出版
《亞細亞史研究》四冊　昭和三十二年～三十九年（一九五七～一九六四），東洋史研究會出版
《東洋史上的日本》　昭和三十三年（一九五八），新潮社出版
《宋與元》　昭和三十六年（一九六一），中央公論社出版
《科舉——中國的考試》　昭和三十八年（一九六三），中央公論社出版
《宮崎市定亞細亞史論考》上、中、下冊　昭和五十一年（一九七六），朝日新聞社出版

②：古之兵制，以十人爲「火」，故稱同火者爲「火伴」，如木蘭詩：『出門看火伴。』今俗作「伙伴」。
③：有關折氏之事，請參閱拙譯〈五代、北宋的府州折氏〉，畑地正憲原著，民國六十四年八月刊登於《食貨》，復刊第五卷第五期。
④：按下句原文是「遷武功大夫」。
⑤：金聖嘆，原名張采，後改姓名爲金喟，字聖嘆，或云生於一五九七，卒於一六四八。

（此譯文原刊於《國語日報》〈書和人〉，第四〇三期，民國六十九年十一月十九日）